Renn

Der Autor:

Uwe Timm wurde 1940 in Hamburg geboren. Er machte zunächst eine Kürschnerlehre und studierte dann Philosophie
und Germanistik in München und Paris. Nach längeren Auf-
enthalten in Rom, Lateinamerika und Afrika lebt er heute mit
seiner Familie in München. Uwe Timm hat sich durch Romane
wie ›Morenga‹, ›Kerbels Flucht‹ oder ›Der Schlangenbaum‹ vor
allem als Autor für Erwachsene einen Namen gemacht. Seine
Bücher ›Die Zugmaus‹, ›Die Piratenamsel‹, ›Rennschwein Rudi
Rüssel‹ und ›Der Schatz auf Pagensand‹ sind seinen eigenen
Kindern gewidmet. Für ›Rennschwein Rudi Rüssel‹ erhielt Uwe
Timm 1990 den Deutschen Jugendliteraturpreis.

Uwe Timm

Rennschwein Rudi Rüssel

Ein Kinderroman
mit Bildern
von Gunnar Matysiak

Deutscher Taschenbuch Verlag

Für Johanna

Wir haben zu Hause ein Schwein. Ich meine damit nicht meine kleine Schwester, sondern ein richtiges Schwein, das auf den Namen Rudi Rüssel hört. Wie wir zu dem Schwein gekommen sind? Das ist eine lange Geschichte.

Zwei Jahre ist das her, da fuhren wir an einem Sonntag aufs Land. Wir, das sind meine Mutter, mein Vater, meine Schwester Betti, die nur ein Jahr jünger ist als ich, und Zuppi, meine kleine Schwester. Wir fuhren in die Lüneburger Heide, und dann begann das, was wir Kinder überhaupt nicht mögen – es wurde gewandert.

Fürchterlich. Wir latschten durch die Gegend, und Vater und Mutter sagten alle naslang: «Guckt mal da, wie schön.» Sie blieben dann jedesmal stehen und zeigten auf irgendeinen Hügel oder einen Baum. Sie erwarteten, daß wir staunten. Aber was soll man schon zu einem Hügel sagen? Und weil wir dann immer sagten, wir wollen eine Limo, wurde Mutter langsam böse und meinte, wir sollten gefälligst erstmal etwas laufen. Dabei taten uns schon die Beine weh, und Zuppi quengelte, sie könne nicht mehr laufen. Daraufhin nahm Vater sie auf die Schultern und stapfte durch die sandigen Wege, schwitzte und redete nicht mehr von der Schönheit der Landschaft.

Endlich kamen wir nach Hörpel, einem kleinen Dorf. In einem Gasthof wurde gerade ein Fest gefeiert. Die Dorffeuerwehr hatte ihr 50jähriges

Jubiläum. Unter den Kastanienbäumen saßen die Leute an langen Holztischen, tranken Bier und aßen Bratwürstchen. Auf einem Podium spielte eine Blaskapelle. Wir konnten uns endlich hinsetzen und bekamen unsere Limo.

Irgendwann hörte die Kapelle auf zu spielen, und ein Mann in Feuerwehruniform ging zum Mikrophon und sagte: «Jetzt beginnt unsere Tombola. Jeder, der ein Los kauft, hilft damit, daß wir uns einen neuen Hochdruckschlauch kaufen können. Es gibt viele kleine und einen sehr nahrhaften Hauptpreis.»

Dann kam ein Mann an unseren Tisch mit einem kleinen Eimer in der Hand, und darin waren die Lose. Jeder von uns durfte sich eins kaufen. Mein Los war eine Niete. Betti bekam einen Trostpreis, einen Fahrradwimpel mit der Aufschrift: Freiwillige Feuerwehr Hörpel.

Zuppi zog eine rote Nummer. Als die Lose verkauft waren, rannte sie damit nach vorn, zum Podium.

Der Feuerwehrmann ließ sich das Los zeigen und rief: «Die Nummer 33! Hier ist die Gewinnerin des Hauptpreises! Wie alt bist du?»

«Sechs.»

«Gehst du schon zur Schule?»

«Nein. Ich bin erst vor zwei Wochen sechs geworden.»

«Weißt du, was du gewonnen hast?»

«Nein.»

»Du hast Schwein. Du hast nämlich ein kleines Schwein gewonnen.»

Und dann hob der Mann ein Ferkel aus einer Kiste und drückte es Zuppi in die Arme. Die Leute klatschten und lachten. Zuppi schleppte breit grinsend das Ferkel zu unserem Tisch und setzte es Mutter auf den Schoß. Es war ein sauberes rosiges Tier, mit einer dicken Schnauze, kleinen flinken Äuglein und großen Schlappohren.

Es sah wirklich niedlich aus, trotzdem machte Vater ein finsteres Gesicht. Als ein Bauer, der an unserem Tisch saß, uns zu dem Ferkel gratulierte, lächelte Vater gequält. Man muß wissen, Vater mag keine Haustiere. Tiere gehören nicht ins Haus, sagt er immer. Und jetzt hatte Mutter dieses Ferkel auf dem Schoß und kraulte ihm das eine Schlappohr.

«Niedlich, nicht», sagte Zuppi begeistert, «guck mal dieser kleine Ringelschwanz.»

Vater nahm die Pfeife aus dem Mund. «Ganz nett», sagte er, «aber wenn wir gehen, dann gibst du das Tier zurück!»

«Nein», rief Zuppi, «ich hab das gewonnen. Das gehört mir.»

«Wir können das Tier doch nicht mitnehmen.»

Da begann Zuppi zu weinen, und wenn sie weint, dann tut sie das ziemlich laut. Von den anderen Tischen sahen sie herüber. Warum weinte das kleine Mädchen, das doch eben ein Glücksschwein gewonnen hatte?

8

Vater, der schon die Hand ausgestreckt hatte, um das Ferkel auf den Boden zu setzen, zog die Hand wieder zurück. Die Leute am Nachbartisch sahen ihn finster an. Es hatte aber auch so ausgesehen, als habe er dem Ferkel einen Klaps geben wollen.

«Gut, gut», sagte Vater, «dann behalt das Vieh erstmal.»

Vater zahlte, und wir gingen zum Auto zurück. Wir mußten ziemlich lange laufen, obwohl wir den kürzesten Weg nahmen. Das Ferkel mußten wir tragen. Denn wenn wir es laufen ließen, wollte es uns einfach nicht folgen, sondern rannte mal hierhin und mal dahin. Es ist erstaunlich, wie schwer Ferkel sind, viel schwerer als gleichgroße Hunde.

Schließlich konnten wir nicht mehr, obwohl wir drei Kinder uns beim Tragen immer wieder abwechselten. Mutter schleppte es eine lange Strecke. Sie trug das Ferkel wie eine Sofarolle unter dem Arm. Als sie nicht mehr konnte, wollte sie es Vater zum Tragen geben.

Aber der sagte: «Wenn ihr das Tier mitnehmen wollt, dann müßt ihr es auch allein tragen.»

Wir fanden das ziemlich gemein, sagten aber vorsichtshalber nichts.

Als wir endlich zum Auto kamen, waren wir fix und fertig. Mutter nahm das Ferkel auf den Schoß, damit es nicht die Polster schmutzig machte. Dabei war es ganz sauber.

«Schweine sind immer dreckig», sagte Vater, «sie lieben den Dreck. Was meint ihr wohl, woher das kommt, wenn man sagt, jemand ißt wie ein Schwein, oder das Zimmer ist ein richtiger Schweinestall?»

Es war natürlich klar, was er damit meinte, unser Kinderzimmer natürlich.

Wir waren noch nicht weit gefahren, da schrie Mutter auf. Das Ferkel hatte ihr auf das Kleid gepinkelt.

«Jetzt reicht's», sagte Vater. Beim nächsten Bauernhof hielt er an.

«So», sagte er, «jetzt schenken wir das Ferkel einem
Bauern. Schweine gehören aufs Land und nicht in
eine Stadtwohnung.»

Zuppi begann zu schreien. Sie kann so laut schreien,
daß man sich die Ohren zuhalten muß.

«Ruhe», brüllte Vater. «Schweine werden traurig,
wenn sie nur Häuser und keine Felder und Wiesen
sehen.»

Zuppi schrie weiter.

«Laß ihr wenigstens ein paar Tage das Ferkel»,
sagte Mutter, «sie hat es nun mal gewonnen. Wir
können es ja immer noch weggeben.»

«Also gut, drei Tage darfst du es behalten, dann
muß es weg. Was sollen die Leute im Haus denken.»

2. Kapitel

Wo bringt man in einer Stadtwohnung ein Schwein unter? Zum Glück wohnen wir im Parterre und haben hinter dem Haus einen kleinen Garten. In dem steht ein Birnbaum und ein Fliederbusch. Neben unserem Garten liegen die anderen Gärten, alle sind so schmal wie Handtücher.

Nun konnten wir aber das Schwein, das wir Rudi Rüssel getauft hatten, nicht einfach in den Garten setzen, denn es hatte zu regnen angefangen, und Mutter meinte, die Nächte seien doch noch recht kühl. Also blieb nur das Badezimmer übrig, denn Vater hatte rundweg verboten, daß Zuppi Rudi mit ins Bett nahm. Rudi galoppierte durch die Wohnung und erkundete die Zimmer. Besonders der hellgraue Teppich in Vaters Arbeitszimmer schien ihm zu gefallen. Immer wieder legte er sich darauf und streckte alle viere von sich. Vater verscheuchte ihn schließlich. Da rannte Rudi in die Küche und warf mit einem enormen Lärm ein paar Töpfe um, als er versuchte, in den Küchenschrank zu kriechen.

«Ich habe gar nicht gewußt, daß Schweine so lebhaft sind», sagte Mutter, als sie die Töpfe einsammelte. Vater schloß Rudi, nachdem wir unsere Zähne geputzt hatten, im Badezimmer ein. Wir lagen in unseren Betten und hörten ihn leise quieken.

Am nächsten Morgen, als Mutter als erste ins Bad ging, prallte sie regelrecht zurück. Am Boden lag die Dose mit ihrer Gesichtscreme, die sie gestern in der

Aufregung nicht zugeschraubt hatte. Die Dose war leer.

«Ich glaub, er hat meine Gesichtscreme gefressen.» Tatsächlich roch Rudi nach Rosen. Er war sonst aber ganz munter und rannte wieder durch die Wohnung. Zuppi wollte ihn zu einem Tierarzt bringen, aber Vater sagte: «Das fehlte gerade noch. Was meinst du, was das kostet?»

«Wir haben doch eine Krankenversicherung», sagte ich.

«Aber nicht für ein Schwein. Außerdem sind Schweine Allesfresser, die vertragen auch die Schönheitscreme.»

Wir mußten uns beeilen, um rechtzeitig in die Schule zu kommen. Mutter nimmt Betti und mich, nachdem sie Zuppi im Kindergarten abgeliefert hat, mit. Sie ist nämlich Lehrerin in unserer Gesamtschule. Das hat aber leider keine Vorteile, im Gegenteil. Unsere Lehrer können sich bei ihr gleich in den Pausen beschweren, wenn wir im Unterricht gestört oder irgendeinen Streich gemacht haben, wie neulich, als wir unserer Kunstlehrerin eine weiße Maus in die Handtasche gesetzt hatten. Hat die Frau ein Theater gemacht. Und Mutter schimpfte in der Pause mit mir. Aber jetzt über unsere Schulstreiche zu erzählen, das gäbe eine andere Geschichte.

Zuppi wollte jedenfalls an diesem Mittwochmorgen nicht in den Kindergarten, sie behauptete, sie habe Bauchweh. Tatsächlich hatte sie wohl nur Angst,

daß Vater Rudi Rüssel morgens wegbringen könnte. Bei uns ist nämlich Vater Hausmann. Vater ist arbeitslos. Er hat einen sehr seltenen Beruf, mit einem komplizierten Namen, einem richtigen Zungenbrecher, er ist Ägyptologe. Ägyptologen sind Leute, die sich mit den alten Ägyptern beschäftigen, die so seltsame Dinge wie die Pyramiden, die Mumien und die Hieroglyphen hinterlassen haben. Diese Hieroglyphen sind Schriftzeichen, die aus kleinen Figuren, Vögeln, Balken und Schlangen bestehen. Diese Hieroglyphen entziffert mein Vater, wenn er nicht gerade kocht oder Staub wischt. Ich schreib einmal eine Zeile auf, die so viel bedeutet wie: Ich war drei Tage allein:

Wir hoffen natürlich, daß er mal einen Hinweis auf einen Schatz entdeckt. Dann würden wir alle nach Ägypten reisen und den Schatz ausgraben, den Schatz der Pharaonen: jede Menge Edelsteine, Gold und Silber. Wir Kinder malen uns dann immer aus, was wir uns von dem Geld alles kaufen würden. Aber Vater sagt dann jedesmal: «Der Schatz kommt ins Museum.» Es wäre schon gut, wenn Vater wieder im Museum arbeiten könnte, wo er früher war, bevor er arbeitslos wurde. Dann könnten wir die Schätze wenigstens kostenlos in den Vitrinen bewundern. Und Vater würde auch nicht mehr zu Hause herumsitzen und so viel nörgeln.

3. Kapitel

Nachmittags, als wir aus der Schule kamen, bauten wir eine Schweine-Hütte. Ich hatte bei unserem Gemüsehändler drei Kisten besorgt. Die Kisten zerlegte ich in Bretter, und die nagelte ich dann wieder neu zusammen: drei Seitenwände und ein richtiges Satteldach. Betti hatte in einem Blumenge-schäft Torfmull gekauft, den wollten wir auf den Boden der Hütte schütten, damit Rudi auch warm lag. Betti und ich stritten uns gerade, wer den Torfmull in die Hütte schütten dürfe, sie, nur weil sie den Torfmull gekauft und hergetragen hatte oder ich, weil ich die Kisten besorgt hatte. Da kam Rudi aus der Verandatür geschossen und rannte in den Garten. Er war Zuppi, als sie im Bad nach ihm sehen wollte, entwischt. Rudi lief sogleich zu einer Pfütze, legte sich hinein, wühlte in dem Schlamm und quiekte begeistert.

Er war über und über mit Schlamm beschmiert, rannte fröhlich durch den Garten und – oh Schreck – in die Wohnung zurück! Wir liefen hinterher, um ihn wieder rauszutreiben, aber Rudi war schon in Vaters Arbeitszimmer gelaufen, über das Sofa gesprungen, hatte die Tischlampe umgerissen, hatte sich auf dem hellgrauen Teppich, den wir Kinder nur mit Socken betreten durften, gewälzt und war dann unter das Sofa gekrochen.

Deutlich sah man die dreckigen Abdrücke seiner Pfoten auf dem Teppich. Vater lag am Boden vor dem Sofa und versuchte mit einem langen Lineal,

Rudi unter dem Sofa hervorzutreiben. «Dieses kleine Dreckschwein», schrie er.

Da schoß Rudi, als er Zuppi sah, unter dem Sofa hervor. Vater bekam einen Schreck, stieß sich an der Sofakante den Kopf, wollte das Ferkel greifen, griff daneben, denn Rudi machte einen kleinen Satz zur Seite, streifte dabei die weiße Wand und hinterließ darauf einen langen Schmutzstreifen, rannte über das auf dem Boden ausgebreitete Pergamentpapier, mit dem Vater einige Hieroglyphen von einem Stein abgepaust hatte, raste in Mutters Zimmer, warf einen Kasten mit Zetteln um, auf denen Mutter sich die Noten ihrer Schüler notiert hatte, galoppierte ins Kinderzimmer und von da wieder raus, in den Garten, wo er sich abermals im Schlamm suhlte. Wir machten schnell die Verandatür zu, damit er nicht wieder in die Wohnung laufen konnte.

Sonderbarerweise war es in Vaters Zimmer ganz still.

«Vielleicht ist er in Ohnmacht gefallen», sagte Betti. Leise gingen wir in Vaters Zimmer. Er stand da und starrte auf das am Boden liegende Pergamentpapier, über das Rudi gelaufen war und auf dem seine dreckigen Klauen ihre Spuren hinterlassen hatten. Wie kleine Keile und Balken standen sie zwischen den anderen Schriftzeichen.

«Papa», sagte Zuppi ganz leise, «ist dir nicht gut?» Und dann sagte sie noch: «Schweine sind doch sehr lustige Tiere, nicht?»

16

Aber Vater stand und schwieg, als sei er plötzlich taub geworden und starrte auf seine Hieroglyphen mit Rudis Abdrücken.

«Interessant», sagte Vater endlich. «Wenn man Rudis Zehenabdrücke mitliest, kommt ein ganz neuer Sinn aus der Inschrift. Da steht nämlich jetzt: Den Vater ließ alles kalt, was er nicht ändern konnte.»

«Wir haben ihn ausgesperrt», sagte Betti.

«Wen?»

«Rudi.»

«Achso. Habt ihr die Hütte schon fertig gebaut?»
«Noch nicht ganz.»
Wir gingen raus, und Zuppi mußte Rudi davon
abhalten, an Vater hochzuspringen. Rudi hatte
Vater irgendwie ins Herz geschlossen, obwohl der
ihn doch gerade aus dem Haus haben wollte. Vielleicht spürte Rudi aber auch, daß Vater ihn nicht
mochte, und er wollte sich bei Vater einschmeicheln.
Vater besah sich die Hütte.
«Na ja», sagte er, «die sieht doch etwas sehr klapprig
aus. Man muß sie noch mit Dachpappe benageln,
sonst regnet es ja rein.»
Plötzlich kläffte am Gartenzaun der Bullterrier von
Herrn Buselmeier. Herr Buselmeier ist der Besitzer
unseres Hauses, und er wohnt zwei Wohnungen
über uns. Ein ziemlich unfreundlicher Mann, der
seinem Bullterrier ähnlich sieht. Der Köter kläffte
und kläffte. Er bellte Rudi aus.
«Los», sagte Vater, «bringt schnell das Schwein
rein, bevor es der Buselmeier sieht. Halt die Klappe,
du Töle», fauchte Vater den Bullterrier an.
Als wir in der Wohnung waren und Rudi ins Bad
gesperrt hatten, sagte Vater: «Das Schwein muß
unbedingt aus dem Haus, sonst schmeißt uns Herr
Buselmeier womöglich noch mit dem Schwein raus.»

4. Kapitel

Und dann kam der Mittwoch, an dem wir Rudi Rüssel aus dem Haus schaffen sollten. Mutter versuchte, uns darauf vorzubereiten. Sie sagte, «ihr müßt vernünftig sein, ein Schwein hat nun einmal in einer Stadtwohnung keinen Platz. Es ist auch für Rudi das beste, wenn er zu einem Bauern kommt.» Dabei hatte Vater noch am Abend zuvor an Rudis Stall gebaut. Er hatte zunächst mißmutig hier und dort einen Nagel eingeschlagen, dann hatte er die Kisten auseinandergenommen und sie, Brett für Brett, wieder neu zusammengenagelt.

Er sagte: «So eine einfache, mit Dachpappe benagelte Kiste sieht doch fürchterlich aus. Wir sollten Rudi einen Stall bauen, der wie ein kleines Bauernhaus aussieht.»

Wir dachten, wenn er an dem Stall mitbaut, wird er Rudi Rüssel auch nicht so leicht aus dem Haus geben. Vater hatte bis spät in den Abend hinein gearbeitet und sogar damit angefangen, zwei hölzerne Pferdeköpfe zu schnitzen, wie man sie auf den Dächern der niedersächsischen Bauernhäuser sehen kann. Wir lagen schon in den Betten, als wir einen tierischen Schrei hörten. Wir stürzten raus. Vater stand in der Küche und hielt den linken Zeigefinger hoch. Er blutete. Wir bekamen einen enormen Schreck, weil wir dachten, daß Rudi ihn gebissen hätte. Aber dann zeigte sich, daß er sich beim Schnitzen in den Finger geschnitten hatte. Ein ziemlich tiefer Schnitt. Mutter legte ihm einen dicken weißen Verband um den Finger. «Jetzt kann ich nicht mal mehr tippen, und alles wegen dieses Schweins.» Er sagte nicht Rudi, sondern Schwein. Natürlich kann man ein Schwein viel leichter aus dem Haus schaffen als einen Rudi, der ein Schwein ist.

Wir konnten in der Nacht vor Aufregung kaum schlafen und überlegten, was wir tun könnten, um Rudi im Haus zu behalten. Im Keller verstecken? Das wäre bald aufgefallen, denn Schweine sind ja nicht stumm. Außerdem war es da unten ja sehr dunkel und feucht. Im Garten verstecken? Da gab es keine Verstecke, dazu war der Garten viel zu klein. Schließlich hatte Zuppi eine Idee.

«Wir machen Rudi zu einem Hieroglyphenschwein. Das hat er bestimmt noch nicht gesehen.»

«Und wie willst du das machen?»

«Wir beschriften ihn.»

«Und was willst du draufschreiben? Papas Liebling?»

«Quatsch. Diesen Satz, der Papa so gefallen hat, und bei dem Rudi ja auch mitgeholfen hat: Den Vater ließ alles kalt, was er nicht ändern konnte.»

Da schlichen wir uns nachts aus dem Bett und in Vaters Arbeitszimmer, holten die Pergamentrolle, gingen ins Badezimmer und schrieben sorgfältig mit Mutters Augenbrauenstift die Hieroglyphen auf Rudis rosigen Rücken. Er hielt dabei still. Nur an einigen Stellen schien es ihn zu kitzeln, dann quiekte er ganz hell.

20

Früh morgens hatte Mutter Mühe, uns wach zu bekommen, dann aber sausten wir aus dem Bett, liefen zum Badezimmer und ließen Rudi raus. Wir gingen zum Schlafzimmer der Eltern und öffneten die Tür einen Spalt. Rudi schlüpfte sofort hinein. Wir warteten auf das Lachen von Vater. Erst war es still, dann kam ein greller Schrei aus dem Zimmer. Mutter kam aus der Küche gelaufen.

«Hat er schon wieder geschnitzt?» rief sie und riß die Schlafzimmertür auf.

Vater kämpfte unter der Bettdecke mit Rudi. Rudi hatte ihn also nicht vorsichtig geweckt, sondern war gleich unter die Bettdecke gekrochen. Vater sprang aus dem Bett und zerrte Rudi an den Hinterbeinen aus dem Bett.

«Raus», brüllte er, «raus!»

Und er trieb Rudi aus dem Schlafzimmer durch den Korridor zur Verandatür hinaus, dann verriegelte er die Tür. Draußen regnete es. Rudi saß vor der Tür im Regen und ließ die Schlappohren hängen. Er sah uns durch das Fenster an. Deutlich sahen wir die schönen Hieroglyphen auf seinem Rücken. Vater hatte sie in der Aufregung gar nicht bemerkt. Er war ja auch noch ziemlich verschlafen.

«Wie gut, daß wir Mutters Augenbrauenstift genommen haben», sagte Betti, «der ist nämlich wasserfest.»

«Bestimmt bekommt er einen Schnupfen, da draußen im Regen», sagte Zuppi.

«Schweine erkälten sich nicht so schnell», sagte Vater, «die sind ja auch in der Natur draußen. Unnatürlich ist es nur, wenn sie in einer Wohnung sind.»

Dann ging er ins Bad. Kurz darauf hörten wir ihn fluchen.

«Was ist jetzt schon wieder passiert?» fragte Betti.

Vater war in der letzten Zeit etwas ungeduldig und schimpfte schnell. Mutter sagte, das käme daher, daß er keine richtige Anstellung fände. Denn mit dem Entziffern von Hieroglyphen könnte man kein Geld verdienen. Vater kam aus dem Bad, mit einem finsteren Gesicht. Er hatte sich beim Rasieren zweimal geschnitten. Bestimmt gab er auch dafür Rudi die Schuld. Vater sah ziemlich mitgenommen aus, wie er so dastand, zwei Pflaster im Gesicht und den linken Zeigefinger dick verbunden.

«Wir müssen uns beeilen», rief Mutter.

Sie lief ins Bad und wollte sich noch schnell schminken, kam aber sofort wieder raus: «Was habt ihr mit meinem Augenbrauenstift gemacht? Zuppi! Hast du wieder damit gemalt?» Sie hielt den Stift, der nur noch ein Stummel war, anklagend hoch.

Da mußten wir es ja sagen, das heißt, wir führten Mutter und Vater zu dem Fenster und zeigten ihnen Rudi, der da draußen im Regen saß.

«Ein Hieroglyphenschwein», sagte Zuppi.

Da mußte Vater dann doch lachen und Mutter auch.

«Sehr schön», sagte Vater, «aber Vater schreibt man nur mit einer Viper.»

Und dann durfte Rudi wieder ins warme Badezimmer. Und Vater sagte, «wir werden schon irgendeine Lösung finden, damit wir ihn behalten können».

5. Kapitel

Schweine wachsen erstaunlich schnell. Besonders, wenn sie gut gefüttert werden.

Wir hatten es gegen den Protest von Vater durchgesetzt, daß Rudi Rüssel, wenn wir in der Küche aßen, neben dem Tisch einen Napf auf den Boden gestellt bekam.

In den Napf warfen wir unsere Essensreste: Kartoffelschalen, harte Brotrinden, sehnige Fleischstücke, all das, was normalerweise Vater von unseren Tellern nahm und aufaß, weil er sagte: «Essen darf man nicht wegwerfen.» Jetzt schien er regelrecht erleichtert zu sein, daß Rudi für ihn die Reste verputzte.

Wenn wir ein Stück Schokolade bekamen, dann stupste Rudi mit seinem Rüssel zart das Bein von Mutter an, und dann bekam auch er ein Stück Schokolade. Darüber nörgelte Vater jedesmal. «Das geht nun wirklich zu weit, ein Schwein mit Schokolade zu füttern. Wir haben doch keinen Dukatenesel.»

«Es war ja nur ein ganz kleines Stück Schokolade», sagte Mutter dann, «heute hat er wieder die Nudeln von vorgestern aufgefressen, die von euch keiner mehr essen wollte.»

Rudi lag auf dem Teppich und lutschte genußvoll das Stückchen Schokolade.

Mutter hatte Rudi übrigens schnell stubenrein bekommen. Sie hatte ihn, wie man das bei jungen Hunden macht, mit der Schnauze in seine Pißlachen

am Boden gestupst. Seitdem ging er auf sein Torf-
mullklo im Badezimmer. Zuppi erneuerte jeden Tag
den Torfmull.
Schweine sind übrigens von Natur aus sehr reinliche
Tiere. Dreckig werden sie nur, weil die Menschen sie
so dreckig in kleinen Ställen halten. Hin und wieder
wälzen sie sich im Schlamm, und das auch nur, um
sich vor den Stichen der Insekten zu schützen.
Jedenfalls hielt sich Rudi selbst sehr sauber. Den-
noch wurde es Zeit, daß Rudi seinen Stall im Garten
bekam.
Aber Vater schnitzte noch immer an den beiden
Pferdeköpfen, und ich sägte an der Fachwerkkon-
struktion des kleinen Bauernhauses. Mutter sagte:
«Das wird der schönste Schweinestall in Deutsch-
land.»

Aber wir sagten uns, solange Vater an diesem Stall arbeitete, würde er Rudi nicht weggeben. Und war der Stall dann erstmal fertig, würde er es sich bestimmt nochmal überlegen, weil er ja so viel Arbeit in den Stall gesteckt hatte.

Dann aber kam der Freitag, an dem Rudi über Nacht zum Helden wurde.

Unsere Eltern waren zu einem Kongreß der Ägyptologen nach Berlin gefahren. Vater wollte dort einen Vortrag halten, einen Vortrag über den Hieroglyphentext, über den Rudi gelaufen war. «Vielleicht bringt das Schwein ja Glück», sagte er, denn er hoffte, auf dem Kongreß von einer freien Stelle zu hören, an einem Museum oder an einer Universität. «Denk daran: Den Vater ließ alles kalt, was er nicht ändern konnte», sagte Mutter. Da mußte Vater lachen.

«Paßt auf, daß die Kühlschranktür immer zu ist», sagte Mutter zu uns, «und schließt gut ab.»

Wir hatten keine Angst, obwohl wir im Parterre wohnten, wo man bekanntlich leichter einsteigen kann. Aber in dem Haus wohnten ja mehrere Familien. Und außerdem war Rudi in der Wohnung. Vater hatte sogar erlaubt, daß Rudi nachts in der Wohnung herumlaufen durfte. Sein Arbeitszimmer hatte er allerdings abgeschlossen.

Wir lagen im Kinderzimmer in unseren Betten. Betti las «Karlsson vom Dach». Zuppi sah sich die

28

Schweine in dem Bilderbuch «Das Schweinchen Bobo» an, und ich las zum dritten Mal «Die Schatzinsel», das ist mein Lieblingsbuch. Da kam plötzlich Rudi ins Zimmer gelaufen. Er quiekte aufgeregt, lief hin und her, und dann wieder hinaus, so als wolle er uns auf etwas aufmerksam machen. Sein Quieken wurde fast zu einem Dauerton, wie ein Pfeifen.

«Ich glaub, mein Schwein pfeift», sagte Zuppi.

Schließlich standen wir auf und folgten Rudi über den Korridor zur Wohnungstür. Er blieb vor der Wohnungstür stehen.

«Was hat er denn?» fragte Betti.

«Keine Ahnung.»

Aber dann hörten wir ein Kratzen an der Tür. So als würde jemand an dem Türschloß bohren oder schrauben. Da – in dem Moment – gab es einen Ruck an der Tür, und sie sprang auf, aber nur einen Spalt, denn wir hatten die Türkette vorgelegt. Jemand stemmte sich von draußen gegen die Tür. Aber die Kette hielt. Eine Hand erschien und tastete nach der Kette. Wir standen stumm vor Schreck, und ich spürte, wie mir eisig eine Gänsehaut über den Rücken zum Nacken hochstieg. Auch Rudi stand ganz still vor der Tür und sah hinauf zu der Hand, wie sie langsam die Kette abtastete, bis zu der Stelle, wo sie an der Tür festgeschraubt war. Die Hand verschwand. Kurz darauf erschien die Hand wieder mit einem sehr kurzen Schraubenzieher, den sie an den Schrauben ansetzte, um die Kette abzuschrauben. In diesem Augenblick stellte sich Rudi blitzschnell auf die Hinterbeine und biß in die Hand. Der Schrei des Einbrechers hallte durch das Haus. Schweine haben, das muß man wissen, spitze Zähne. Rudi ließ nicht los, stand da, stützte sich mit den Vorderpfoten an der Tür ab. Der Einbrecher schrie nochmals und zerrte an der Hand, und erst da, weil Rudi ja auch sehr unbequem, nämlich auf den Spitzen seiner Hinterklauen stand, ließ er los.

Draußen im Treppenhaus war das Licht angegangen, und die Leute von den oberen Etagen kamen herunter und riefen, was denn los sei und was das für fürchterliche Schreie gewesen seien. Jemand hatte die Polizei angerufen. Kurz darauf hörten wir die Sirene des Überfallwagens. Wir nahmen die Kette erst dann von der Tür, als die Polizisten davorstanden. Zwei Polizisten kamen herein, sahen Rudi und zogen die Pistolen. Der eine Polizist rief: „Vorsicht, ein tollwütiges Schwein. Aus dem Weg», rief er uns zu und wollte auf Rudi schießen. Aber da stellte sich Zuppi vor Rudi und rief: «Nicht schießen, das ist unser Hausschwein. Es hat doch gerade einen Einbrecher vertrieben.»

Erst da begriffen die Leute, daß nicht einer von uns geschrien hatte. Sogleich begannen die Polizisten, den Einbrecher zu suchen. Sie entdeckten im Vorgarten des Hauses hinter einem Rhododendronbusch einen Mann. Sie führten ihn ins Treppenhaus. Der Mann behauptete, er sei gar nicht in dem Haus

30

gewesen, sondern habe ganz still hinter dem Rhodo-dendronbusch gesessen, und das sei doch wohl nicht verboten.

«Und was haben Sie hinter dem Rhododendron-busch gemacht?» fragte der eine Polizist.

«Ich mußte ein dringendes Geschäft erledigen.»

«War das der Mann, der bei euch einbrechen wollte?»

«Wir haben von dem Mann ja nur die Hand gese-hen. Aber seine Hand muß bluten. Rudi hat ihn in die Hand gebissen.»

Der Mann trug seine Jacke über dem Arm, und zwar so, daß man die Hand nicht sehen konnte. Der eine Polizist befahl dem Mann, die Hand zu zeigen, und als er das nicht tat, nahm er ihm einfach die Jacke weg. Und da sah man tatsächlich die Bißstelle in der Hand.

In dem Moment kam Rudi aus der Wohnung. Da bekam der Mann einen fürchterlichen Schreck, hob die Arme über den Kopf und sagte ängstlich zu Rudi: «Schön brav sein, Bello!»

Der Mann war wohl etwas im Kopf verwirrt und hielt Rudi für eine Art kahlen Hund.

Am nächsten Morgen kamen ein Reporter und ein Pressephotograph. Der Photograph machte mehrere Photos, vor allem von Rudi Rüssel.

Und das war das erste Photo, das von Rudi in die Zeitung kam: Wir drei Kinder stehen vor der Woh-nungstür, und vor uns sitzt Rudi auf der rechten

Hinterbacke, den Kopf hat er schräg gelegt, die Schlappohren etwas hochgestellt, so als beobachte er aufmerksam den Einbrecher. Der Artikel, der am Montag in der Zeitung erschien, trug die Überschrift: *Schwein beißt Einbrecher.*

6. Kapitel

Von dem Tag an war nicht mehr die Rede davon, daß Rudi aus dem Haus müsse. Immerhin hatte Rudi einen Diebstahl verhindert, womöglich wären sogar Vaters unersetzliche, in jahrelanger Arbeit hergestellten Übersetzungen gestohlen worden.

Vater war sehr froh, obwohl er von dem Kongreß recht niedergeschlagen zurückgekommen war, denn dort hatte er von keiner neuen Stelle gehört, sondern nur Kollegen getroffen, die auch eine Stelle suchten.

Aber Vater war nun endgültig von der Nützlichkeit eines Hausschweins überzeugt: Es fraß unsere Essensreste, war unser Wachhund, der, wenn die Eltern abends weggingen, auf dem Korridor schlief, und er vertrieb die Hunde, die aus der Nachbarschaft in unseren Garten kamen, um dort, an dem einzigen Baum, dem Birnbaum, ihr Bein zu heben.

Natürlich hatten unsere Lehrer und Klassenkameraden von dem Einbruch gelesen und fragten uns nun ein Loch in den Bauch. Wir mußten unsere Abenteuer mehrmals erzählen.

Zum Glück hatte Herr Buselmeier von dem nächtlichen Einbruch nichts mitbekommen, weil er zu der Zeit, wie jedes Jahr, in seinem Haus auf Mallorca war.

Von diesem Einbruch blieb uns noch ein Spruch. Nämlich das, was Zuppi gesagt hatte, als Rudi so aufgeregt herumquiekte: «Ich glaub, mein Schwein pfeift.»

Ein Spruch, der meint, daß man über etwas erstaunt und sehr verwundert ist. Dieser Spruch setzte sich erst in der Familie, dann bei unseren Schulfreunden, schließlich auch bei entfernten Bekannten durch. So daß ich ihn, gut drei Monate später, sogar aus dem Mund meines Mathematiklehrers hörte, der, statt seines Mathematikbuchs einen Krimi aus seiner Aktentasche zog, das Buch erstaunt in der Hand hielt und sagte: «Ich glaub, mein Schwein pfeift.»

So ging alles seinen Gang, und wäre nicht die Hütte für Rudi fertiggeworden, dann würden wir womöglich noch heute mit Rudi im Badezimmer in derselben Wohnung wohnen.

Nach sechs Wochen Arbeit konnten wir die Hütte endlich einweihen. Eine wunderschöne Hütte, die sehr genau einem niedersächsischen Bauernhaus ähnelte, wir hatten sogar mit weißer Farbe die Mörtelfugen der Backsteine auf die Bretter gemalt. An dem Tag, als wir den Stall im Garten aufstellten, feierten wir ein Richtfest. Wir Kinder stießen mit Malzbier an, Vater und Mutter mit Wein. Rudi bekam zur Feier des Tages etwas angegorenen Apfelsaft, den er sehr mochte. Betti hatte sich mit einem Hut von Mutter als Zimmermann verkleidet und hielt eine Rede, in der sie der Hütte und dem Schwein Glück wünschte. Danach sangen wir: «Auf, auf zum fröhlichen Jagen», da erschien plötzlich der Bullterrier von Herrn Buselmeier am Zaun und kläffte. Sofort sauste Rudi zum Zaun, quiekte böse und fletschte die Zähne. Meine Güte, sah der so friedliche Rudi plötzlich gefährlich aus. Der Köter jaulte laut auf und rannte in die Wohnung von Herrn Buselmeier. Herr Buselmeier kam heraus und an den Zaun.

«Was ist denn hier los? Ist das ein Schwein? Was hat denn das Schwein in dem Garten zu suchen?»

«Das ist Rudi Rüssel», sagte Vater. «Wir feiern gerade das Richtfest seines Stalls.»

«Es ist ein ganz erstaunlich sauberes Schwein», fügte Mutter schnell hinzu.

«Ja, aber hören Sie mal», sagte Herr Buselmeier, «Sie können doch nicht einfach in einem Wohnhaus mitten in der Stadt ein Schwein halten. Wo kommen wir denn da hin? Wenn das jeder täte?»

«Na ja, es tut ja nicht jeder», sagte Mutter.

«Jedenfalls muß das Schwein verschwinden!»

«Wieso, im Mietvertrag steht, daß man Haustiere halten darf.»

«Wollen Sie damit sagen, daß das ein Haustier ist?»

«Unser Schwein ist sauberer als so mancher Hund. Rudi wird jeden Tag geduscht, warm, und im Gegensatz zu jedem Hund ist er begeistert, wenn er unter die Dusche darf», sagte Betti.

«Was, Sie stellen das Schwein in die Badewanne? Hören Sie mal, ich vermiete Wohnungen und keine Schweineställe. Das Schwein hat weder im Haus noch im Garten, noch in der Badewanne etwas zu

suchen. Sorgen Sie dafür, daß das Tier verschwindet, sonst muß ich Ihnen kündigen.»

Herr Buselmeier ging zu seiner Wohnungstür, hinter ihm ging der Bullterrier, der sich noch einmal kurz umdrehte und blaffte.

Unsere gute Stimmung war natürlich futsch.

Wir hielten unseren Familienrat ab. Was sollten wir tun? Vater, dem alles mögliche peinlich ist, war dieses Gespräch mit Herrn Buselmeier besonders peinlich. Am peinlichsten fand er, daß Betti gesagt hatte, daß Rudi bei uns in der Badewanne duschte.

«Aber das ist doch wahr!»

«Na ja, man muß ja nicht alles, was wahr ist, sagen. Man soll nur nicht lügen. So, wie du das gesagt hast, hörte es sich an, als würden wir ihm auch noch mit unseren Zahnbürsten die Zähne putzen», sagte Vater. «Womöglich denken die Leute noch, daß wir mit dem Schwein zusammen essen.»

«Tun wir doch auch», sagte Betti.

«Laß doch die Leute denken, was sie wollen», sagte Mutter, die lange nicht so empfindlich ist wie Vater. «Wir müssen uns vom Bezirksamt eine Bestätigung holen, daß Rudi ein Haustier ist, dann kann Herr Buselmeier uns samt seinem Bullterrier gern haben.»

7. Kapitel

Am nächsten Tag, gleich nach Schulschluß, gingen wir, Zuppi, Betti und ich, mit Rudi zum Bezirksamt. Die Leute blieben auf der Straße stehen. Einige lachten und riefen: «Ein Schwein, ein kleines Schwein!» Andere sahen uns finster an und schüttelten die Köpfe, so als sei es etwas Unanständiges, mit einem Schwein durch die Straßen zu gehen. Dabei hatten wir Rudi, wie jeden Tag, geduscht, Zuppi

hatte ihm die paar Borsten sogar mit Haarshampoo gewaschen und danach mit Mutters Gesichtscreme eingerieben, die nach Rosen duftete. Auf dem Weg zur Bushaltestelle mußten wir immer wieder die Bienen verscheuchen, die sich auf den rosig leuchtenden und nach Rosen duftenden Rudi stürzten. Sie glaubten wohl, er sei ein dicker, auf vier Beinen gehender Rosenbusch.

Als wir in den Bus einsteigen wollten, sagte der Busfahrer: «Schweine kommen hier nicht rein!»

«Und warum nicht?»

«Das wäre ja noch schöner. Schweine stinken.»

«Unser Schwein nicht.»

«Schweine sind dreckig.»

«Haben Sie heute schon geduscht?» fragte Betti.

«Was hast du gesagt?» fragte der Busfahrer und stieg aus dem Bus. Er ging auf Betti zu und hob die Hand, da machte Rudi einen kleinen Sprung, stellte sich vor den Mann und zeigte die Zähne. Obwohl er ja noch klein war, sah er doch recht gefährlich aus. Der Busfahrer blieb stehen, drehte sich um, stieg in den Bus und fuhr weg.

Wir sind dann den ganzen Weg bis zum Bezirksamt gelaufen. Als wir dort ankamen, wollte uns der Pförtner nicht hineinlassen. Wir haben ihn dann aber an Rudi riechen lassen, ein Schwein, das nach Rosen duftet, da staunte er und nannte uns eine Zimmernummer. Dort könnten wir uns eine Genehmigung für die Haltung von Schweinen holen.

In dem Büro saß eine junge Frau, die natürlich ziemlich baff war, als wir mit Rudi hereinkamen. Wir sagten, wir bräuchten eine Genehmigung, um Rudi bei uns als Hausschwein zu halten. Sie fragte, ob wir in einem Einzelhaus wohnten.

«Nein, in einem Mietshaus.»

«Habt ihr denn einen Garten?»

«Ja.»

«Wie groß?»

«Na ja, so acht mal fünf Meter.»

«Der ist ja winzig. Ist der Hausbesitzer damit einverstanden, wenn ihr das Schwein im Garten haltet?»

«Das ist es ja gerade, er will es nicht. Er hat uns auch verboten, das Schwein im Haus zu halten.»

«Tja, da kann ich auch nichts für euch tun.»

«Aber kann man in diesem Fall nicht eine Ausnahme machen? Ich meine, Rudi ist ein wirklich sauberes Schwein.»

«Nein, leider nicht. In der Verordnung steht, daß Bewohner von Mietwohnungen keine Schweine halten dürfen. Ihr müßt das Schwein aus dem Haus bringen, sonst wird es zwangsentfernt.«

Zwangsentfernt, was für ein gräßliches Wort. Und was es alles für Verordnungen gibt. Zum Glück kennt man die nicht alle, sonst könnte man ja gar nichts mehr tun, weil man für alles mögliche eine Genehmigung braucht.

Traurig gingen wir den ganzen langen Weg zu Fuß zurück. Auch Rudi ließ seine Schlappohren hängen.

8. Kapitel

Gleich am nächsten Samstag sind wir aufs Land gefahren. Zum Glück haben wir einen Kombi, so daß Rudi hinten auf die Ladefläche steigen konnte. Wir fuhren Richtung Mölln und hielten Ausschau nach einem Bauernhof. Der sollte möglichst in der Nähe von Hamburg liegen, und er sollte natürlich auch Zuppi gefallen.

Zuppi hatte zunächst geweint, weil sie glaubte, Rudi würde sie vergessen, und dann hatte sie auch noch Angst, daß der Bauer Rudi schlachten lassen würde. Aber Vater sagte ihr, daß Schweine ein gutes Gedächtnis haben. Und schlachten lassen dürfte der Bauer das Schwein auch nicht, da wir ja für das Futter und den Stall zahlen würden. Wir wollten das Schwein ja nur unterstellen, so wie man auch Reit-pferde auf einem Bauernhof unterstellen kann.

Schließlich kamen wir in ein Dorf, in dem Zuppi auf einen Bauernhof zeigte, der in einem großen Garten lag. Am Zaun standen dicke Sonnenblumen.

«Dort wird Rudi sich bestimmt wohlfühlen», sagte Mutter, «meinst du nicht?»

Zuppi nickte. Also stiegen wir aus. Wir fragten den Bauern, der gerade Futter in ein Silo schüttete, ob wir auf dem Hof gegen Bezahlung ein Schwein unterstellen könnten.

Der Bauer sah sich den im Wagen sitzenden Rudi an. «Is ja doll, ein richtiges Schwein.» Aber dann sagte er: «Nee, ein Schwein, hier auf dem Hof, das geht nicht. Wir haben Legebatterien.»

«Legebatterien, was ist denn das?» wollte Zuppi wissen.

«Eierproduktion», sagte der Bauer, «wir haben nur Hühner. Ein Schwein hier, das müßte ich bei mir ins Badezimmer stellen», er lachte, «und das geht ja nicht, nich.»

Auch Vater lachte, aber ziemlich gekünstelt, dabei sah er Betti streng an.

Der Bauer lud uns ein, seine Legebatterien zu besichtigen. Das war kein Hühnerstall, sondern eine lange, moderne Halle. In dieser Halle waren Tausende von Hühnern in langen, schmalen Käfigen untergebracht. Die Hühner saßen da, still und mit einem Ernst, wie wir bei Klassenarbeiten dasitzen. Sie waren ganz auf das Eierlegen konzentriert. Der Bauer ging zu einem Computer, drückte ein paar Tasten, und über verschiedene Röhren wurde das Kraftfutter in die durchlaufenden Futterrinnen der Käfige geschüttet. In der Halle war ein rötliches Licht. Das wurde automatisch heller und dunkler und täuschte so den Hühnern einen künstlichen Tag vor, der aber viel kürzer war als der Tag draußen, so legten sie schneller und damit auch mehr Eier.

Hier war wirklich kein Platz für andere Tiere.

Vater fragte, ob man Rudi nicht bei dem Nachbarn unterstellen könne.

«Nee», sagte der Bauer, «der hat überhaupt keine Tiere, der baut nur Mais an.»

Dann kratzte er sich umständlich den Kopf, sagte, daß es im Dorf einen Bauern gebe, der habe noch alles mögliche, Hühner, Enten, Pferde, Kühe, Schafe, der Bauer Voß, den sollten wir doch mal fragen. Der Hof liege gleich neben der Kirche.

Wir fanden den Hof vom Bauern Voß sofort, es war ein altes Fachwerkhaus, mit Reet gedeckt. Rudi fing, als er das Bauernhaus sah, an, aufgeregt zu quieken und wollte gleich aussteigen. Vor dem Haus wuchsen Holunderbüsche, und auf dem Hof pickten ein paar Hühner. Ein Hofhund lag im Schatten und begann, als wir ausstiegen, zu bellen.
Bauer Voß kam, ein alter Mann, ziemlich krumm.
«Ruhig, Kiechle!» rief er dem Hund zu.
Vater fragte den Bauern, ob wir ein Schwein auf seinem Hof unterstellen könnten.
«Es gehört nämlich mir», sagte Zuppi, «und Herr Buselmeier, unser Hauswirt, will es nicht haben.»
Bauer Voß sah sich erst Rudi an, der gespannt aus dem Heckfenster des Autos guckte, dann Zuppi, und dann sagte er: «Gut, das Schwein kann bleiben.»
«Hurra», rief Zuppi und hüpfte herum.
Wir machten die Heckklappe auf, und Rudi sprang mit einem Satz aus dem Wagen und rannte, wie von einer Wespe gestochen, auf dem Hof herum.
Bauer Voß beobachtete Rudi mit zusammengekniffenen Augen: «Das ist ja ein ganz Fixer», sagte er, «das ist ein richtiger Läufer.»

Bauer Voß erklärte uns den Unterschied zwischen einem Stall- und einem Weideschwein. Die Stallschweine sind Fleisch- oder Fettschweine, sie sind so gezüchtet worden, daß sie möglichst viel Fleisch auf den Rippen tragen. Die Rasse kommt aus China, wo schon früher viele Menschen wohnten. Und da überall Äcker waren, gab es keinen Platz mehr für Weiden, wo die Tiere ihr Fressen suchen konnten. Darum wurden die Tiere so gezüchtet, daß man sie im Stall halten und mit allen möglichen Essensresten füttern konnte. Weideschweine hingegen haben noch etwas Wildschweinblut in den Adern, und darum sind sie auch so gute Läufer. Rudi Rüssel gehörte also zu den Weideschweinen, und er lief gerade mit dem Hofhund um die Wette. Rudi war, das sah man sofort, schneller als der Hund. Mal lief er hinter dem Hund, mal lief der hinter ihm her. Das war ein Gekläffe und ein Gequieke. Rudis Ohren flatterten im Wind, sein Ringelschwanz hatte sich entrollt und hing wie ein kleines Seil in der Luft. So hatten wir ihn noch nie erlebt.

«Ein richtiger Läufer», brummte Bauer Voß.

Bauer Voß zeigte uns einen Holzverschlag im Kuhstall. Dort sollte Rudi seinen Platz haben. Der Holzverschlag war zwar klein, aber Rudi war nicht allein, um ihn herum war das sanfte Muhen und Mampfen der Kühe.

Als wir ins Auto stiegen und langsam von dem Hof fuhren, da stand Rudi da und sah uns nach. Er ließ

die Schlappohren hängen, wie immer, wenn er traurig war. Zuppi begann zu weinen.

«Laß mal», sagte Mutter, «er hat es auf dem Bauernhof bestimmt gut. Und wir kommen am Wochenende und besuchen ihn.»

9. Kapitel

Rudi gedieh auf dem Hof von Bauer Voß prächtig. Ständig war er draußen, lief herum, schnüffelte, buddelte im Boden und fraß, was er gerade so entdeckte. Er verwilderte regelrecht. Aber er vergaß uns nicht. Er stand, wenn wir am Sonntagmorgen auf den Hof fuhren, schon da und erwartete uns mit hochgestellten Ohren. Ich glaube, daß das Schweineohr der Körperteil ist, der am besten und genauesten die Stimmung des Tiers wiedergibt. Die Augen sind beim Schwein ja recht klein, und man kann an ihnen nicht genau ablesen, wie sich das Schwein gerade fühlt, ob es traurig, wütend oder lustig ist. Anders die Ohren. Sie sind groß und gut sichtbar. Beobachtet das Schwein etwas, stellt es sie leicht hoch, ist es wütend, legt es die Oh-

ren mit einem leichten Knick nach hinten, traurig oder müde fallen ihm die Ohren über die Augen, lustig hängen sie entspannt und leicht gewellt, angriffslustig stellt das Tier die Ohren steif nach vorn.

Schweine sind sehr intelligente Tiere, wie das Sprichwort schon sagt: «Daraus wird kein Schwein klug.» Das meint doch, daß nicht einmal ein Schwein das Problem verstehen könnte. Oder: «Der ist so dumm, daß ihn die Schweine beißen.» Das bedeutet, daß Schweine sich über die Dummheit so ärgern, daß sie die Leute beißen wollen.

Wir alle schrieben übrigens, seit Rudi im Haus war, bessere Aufsätze. Betti bekam beispielsweise für einen Erlebnisaufsatz, in dem sie unseren Gang zum Bezirksamt beschrieben hatte, eine Eins. Und mein Deutschlehrer staunte nicht schlecht, als er die Überschrift von meinem Aufsatz zu einer Tierbeschreibung las: *«Die Ohren als Stimmungsträger des Hausschweins»*.

Er dachte zuerst, ich wollte wieder einen meiner Witze machen, aber dann, nachdem er den Aufsatz gelesen hatte, war er so begeistert, daß er ihn der Schulzeitung zum Abdruck gab. Zuppi war inzwischen in die Schule gekommen und hatte ihre Lehrerin, die das Schwein im Sachkundeunterricht behandelte, damit verblüfft, daß sie den Unterricht einfach in die Hand nahm und eine halbe Stunde lang von den Gewohnheiten eines Schweins erzählte. Als

Zuppi dann vorschlug, das Schwein in der nächsten Woche zur Anschauung in den Unterricht mitzubringen, winkte die Lehrerin, eine etwas ängstliche Frau, ab.

Wir alle hatten viel durch Rudi dazugelernt, und auch Vater zahlte, fast ohne zu mosern, die Stallmiete, die allerdings auch sehr niedrig war. Nur am Freitag, wenn die Zeitung kam und er die Stellenangebote durchlas, stöhnte er manchmal: «Schweinezüchter müßte man werden.» Er lachte dann jedesmal, aber man merkte ihm an, daß ihm gar nicht zum Lachen war.

Auch Bauer Voß war mit Rudi zufrieden. Rudi war nicht nur ein munteres, sondern auch ein sehr aufmerksames Schwein. Er verhinderte nämlich eine Brandkatastrophe. Und das kam so: Die Frau, die jeden Morgen kam, um dem Bauern Voß den Haushalt zu führen, vergaß eines Tages, das Bügeleisen, mit dem sie den Sonntagsanzug von Voß gebügelt hatte, abzustellen. Es stand noch nachmittags auf dem Küchentisch und brannte sich langsam durch die dicke Holzplatte. Rudi, der wie alle Schweine eine gute Nase hat, roch den Brandgeruch und lief zu Voß, der dabei war, den Stall auszumisten. Rudi quiekte, rannte hin und her, rannte dann wieder in Richtung Küche, und als ihm Voß endlich folgte, brannte schon die Tischplatte. Der ganze schöne Bauernhof mit seinem alten Reetdach wäre ohne

Rudis Wachsamkeit abgebrannt. So aber konnte
Bauer Voß mit einem Eimer Wasser das Feuer
löschen. Die Frau, die das Bügeleisen auf dem Tisch
hatte stehen lassen, kochte am nächsten Tag zur
Belohnung eine große Fuhre Kartoffelmus für Rudi.
Das ist Rudis Lieblingsessen.
Im Dorf wollte niemand Bauer Voß diese
Geschichte glauben.
«Der schwindelt», sagten alle. Aber die anderen
Bauern im Dorf kannten eben keine Schweine. Wir
glaubten Bauer Voß die Geschichte sofort, denn wir
hatten es ja erlebt, wie Rudi Rüssel den Einbrecher
vertrieben hatte.

10. Kapitel

So verging der Sommer: Wir gingen zur Schule und machten nachmittags Schulaufgaben, Mutter ging zur Schule und korrigierte nachmittags Hefte, Vater kochte, studierte seine Hieroglyphen und schrieb hin und wieder an eine Universität oder an ein Museum, legte dann all die Sachen bei, die er geschrieben hatte und die schon gedruckt worden waren. Dann warteten wir, eine Woche, zwei Wochen, einen Monat auf die Antwort, und wenn wir Kinder es schon vergessen hatten, kam Vater mit einem Brief und sagte: «Es hat wieder nicht geklappt.» Das war jedesmal ein trauriger Tag, auf den wir Kinder uns anderseits auch freuten, denn jedes Mal, wenn eine Absage für Vater kam, machte Mutter eine große Schüssel mit Mousse au chocolat. Viermal machte sie das, bis der Winter gekommen war und Weihnachten vor der Tür stand. Mutter sagte, wir sollten uns etwas wünschen, was nicht so teuer sei. Damit meinte sie natürlich den Computer, den ich gern gehabt hätte. Na ja, also wünschte ich mir ein paar Schlittschuhstiefel, Betti wünschte sich einen Ölmalkasten, und Zuppi wollte ein Weihnachtsgeschenk haben, das nichts kostete: Rudi Rüssel sollte bei der Bescherung dabeisein.

Vater sagte: «Das ist doch ganz und gar unmöglich, was sagen die Leute, wenn sie hören, daß wir mit einem Schwein zusammen Weihnachten feiern?»

«Die Leute sind mir egal», sagte Mutter, «aber wir kriegen den Rudi doch nie ungesehen ins Haus.»

Aber Zuppi, die wirklich einen enormen Dickschädel hat, redete nur noch davon, wie man Rudi heimlich ins Haus bringen könne. Vater bot ihr an, ein neues gebrauchtes Fahrrad zu kaufen, das sie sich schon seit langem wünschte. Nein, sie wollte kein neues gebrauchtes Fahrrad haben, sie wünschte sich einfach nur, daß Rudi zur Bescherung da sei.

«Bestimmt ist er traurig», sagte Zuppi.

«Unsinn», sagte Vater, «Schweine wissen doch gar nicht, was Weihnachten ist.»

«Rudi ja, er wird das merken und sich allein fühlen. Wenn Rudi nicht zur Bescherung kommt, wünsch ich mir gar nichts.»

«Dann kriegst du eben nichts», sagte Vater böse.

Eine Zeitlang war Vater fest entschlossen, Zuppi nichts zu schenken. Er meinte, «sie muß einfach einmal sehen, wohin sie mit ihrem Dickkopf kommt.»

Aber je näher Heiligabend kam, desto öfter begannen Vater und Mutter, wenn Zuppi nicht dabei war, zu überlegen, wie man dieses Schwein vielleicht doch ins Haus schaffen könnte.

Am Heiligen Abend wollte Zuppi zu ihrer Freundin gehen, die in derselben Straße wohnte. Sie wollte nicht bei der Bescherung dabeisein, weil sie ja nichts bekommen würde.

Vater und Mutter sagten: «Du mußt wissen, was du tust», und ließen sie gehen.

Als sie dann tatsächlich abzog, wurde Vater richtig wütend und sagte: «Man kann diesem Kind doch nicht seinen Dickkopf lassen und immer nur nachgeben.»

Mutter meinte, «es ist doch ganz gut, daß sie sich nicht irgendein teures Geschenk wünscht, sondern nur das Schwein bei sich haben will.»

Vater und ich fuhren also auf den Bauernhof und luden Rudi Rüssel ein. Bauer Voß stand staunend daneben und sagte immer wieder: «Was denn, was denn, das Schwein soll unter dem Weihnachtsbaum sitzen?»

Zu Hause angekommen, stieg ich aus, sah nach, ob Herr Buselmeier nicht in der Nähe war, dann gab ich ein Zeichen, Vater öffnete die Heckklappe des Autos, und Rudi sprang heraus. Er war ja inzwischen groß geworden, aber immer noch gewandt und schnell. Wir liefen über die Straße, ins Haus, wo Mutter die Tür aufhielt, und hinein in die Wohnung.

«Meine Güte», sagte Vater, «was für eine Hektik! Und das alles wegen eines Schweins.»

Rudi sauste durch die Wohnung und schnüffelte alles ab. Er lief ins Kinderzimmer, ganz klar, er suchte Zuppi.

«Er riecht ja sehr nach Stall», sagte Mutter.

«Ja», sagte Betti, «aber mehr nach Kuhmist.»

«Wir stellen ihn erstmal unter die Dusche», sagte Mutter.

54

Es war nicht einfach, Rudi in die Badewanne zu bekommen. Nicht weil er nicht wollte, sondern weil er so schwer war. Nur mit vereinten Kräften haben wir es geschafft. Er hat es sehr genossen, als wir ihn wie früher warm abduschten.

Nachdem ich ihn mit Mutters rotem Badehandtuch abgetrocknet hatte, band Betti ihm eine blaue Schleife um den Hals. Vater rief bei den Eltern von Zuppis Freundin an, sie solle jetzt zur Bescherung kommen. Die Kerzen wurden angezündet. Dann durften wir Kinder in das Zimmer, da saß Rudi mit seiner blauen Schleife unter dem Weihnachtsbaum. Rudi freute sich, und Zuppi freute sich, und wir freuten uns. Betti hatte ihren Ölmalkasten bekommen und ich ein kleines Tonbandgerät.

Wir sangen Weihnachtslieder, und Betti begleitete uns auf dem Klavier. Da bog sich plötzlich der Weihnachtsbaum wie unter einem starken Wind hin und her. Ein lautes Rascheln und Schmatzen war zu hören. Als wir nachsahen, entdeckten wir Rudi, der die Likörkringel vom Tannenbaum fraß. Wir mußten ihn regelrecht vom Baum wegzerren. Als wir ihn ins Bad zu seinem Torfmullager führten, rempelte er Tisch und Stühle an. Er war etwas beschwipst, legte sich im Bad auf sein Lager und schlief sofort ein.

Am nächsten Morgen, sehr früh, damit uns niemand sah, fuhren wir ihn zu Bauer Voß zurück.

11. Kapitel

Fast ein Jahr lebte Rudi Rüssel auf dem Hof von Bauer Voß, bis die Sommerferien kamen. Wir wollten in den Ferien zum Zelten nach Italien fahren.

Vater war beim Abwaschen, da fragte ihn Zuppi, die gerade die Töpfe abtrocknete: «Kann Rudi nicht mit nach Italien fahren? Er mag doch so gern Wasser. Er könnte dann sogar im Meer schwimmen. Stell dir vor, wenn er da in den Wellen herumschwimmt.»

«Also hör mal», sagte Vater, «erstmal glaube ich nicht, daß ihm das Salzwasser gefallen würde, und dann paßt Rudi doch mit all unserem Gepäck nicht in den Wagen. Wir müßten ja auch noch Fressen für ihn mitnehmen.»

«Aber auf den Campingplätzen gibt es doch genug Essensabfälle», sagte Zuppi.

«Die lassen uns ausgerechnet in Italien mit einem Schwein auf einen Campingplatz, da sind doch sogar Hunde verboten.»

«Dann zelten wir eben nicht auf Campingplätzen, sondern irgendwo in der Landschaft. Campingplätze sind sowieso langweilig, sagst du doch selbst.»

«Ja», sagte Vater und meinte dann listig, «aber wir kriegen das Schwein nie über die Grenze. Da muß man nämlich für den Zoll besondere Papiere haben.»

Am nächsten Tag überredete mich Zuppi, mit ihr zusammen zum Zoll zu gehen. Wir mußten uns zur Abteilung Ein- und Ausfuhr von Lebendvieh durchfragen. In dem Büro saß ein Mann und sah uns, als wir hereinkamen, mißtrauisch an. Wahrscheinlich war er gerade von der Zollfahndung in die Lebendviehabteilung versetzt worden. Jedenfalls sah er unzufrieden aus und hatte so einen beruflich mißtrauischen Zug im Gesicht.

Wir fragten ihn, was man machen muß, um ein Schwein nach Italien zu bringen.

Der Mann ging zu einem Schrank und zog mehrere Formulare heraus. «Hier», sagte er, «das müßt ihr ausfüllen, eine Zollerklärung für lebendes Schlachtvieh sowie ein tierärztliches Attest, nach den neuesten Richtlinien der EG. Dann noch die Empfangsbestätigung des italienischen Schlachthofs.»

«Und wenn wir es aus Italien wieder zurückbringen?»

«Was?»

«Das Schwein.»

«Wieso, zu Wurst verarbeitet, oder was?»

«Nein, natürlich lebend.»

«Also Moment mal. Ihr wollt es doch in Italien schlachten lassen.»

«Nein», sagte Zuppi, «wir wollen doch mit Rudi in den Urlaub fahren.»

«Wer ist denn Rudi?»

«Na, unser Schwein.»

«Ihr wollt mich wohl auf den Arm nehmen», sagte der Mann, und dann ging er zur Tür, riß sie auf und brüllte: «Raus!»

Als wir draußen waren, sagte Zuppi: «Der hatte ja eine lange Leitung.» Aber sie sah nach diesem Besuch ein, daß man Rudi nicht mit in die Ferien nehmen konnte.

Knapp vier Wochen waren wir in Italien unterwegs. Wir haben viel gebadet, in der Sonne gelegen und Eis gegessen, während sich Vater und Mutter irgendwelche alten Trümmer angeguckt haben. Aber schon in der dritten Woche fing Zuppi an zu bibbern und wollte nach Hause und Rudi besuchen. Gleich am Tag nach unserer Rückkehr fuhren wir zu dem Hof von Bauer Voß. Aber welche Überraschung. Als wir ankamen, lag der Hof wie tot da, keine Hühner waren zu sehen, kein Rudi, kein Hofhund, kein Muhen der Kühe war zu hören. Die Fenster des Hauses und die Tür waren vernagelt.

Wir gingen zu dem Bauern Werner, jenem Bauern, der die Legebatterien hat.

«Ach», sagte der, «Sie wissen das ja noch gar nicht. Der alte Voß ist gestorben. Beim Melken ist er plötzlich vom Melkschemel gefallen. Ein Herzschlag. Das war vor drei Wochen. Und sein Sohn, der nichts von der Landwirtschaft wissen will, hat alles verkauft.»

Das war vielleicht ein Schreck. Vater fragte sofort, wo die Tiere denn hingekommen seien.

«Ein paar Kühe haben Bauern im Dorf gekauft, die anderen Tiere sind zum Schlachthof gekommen.»

Da fing Zuppi an zu heulen und dann Betti, und auch mir begann das Kinn zu zittern.

«Auch unser Schwein?» fragte Mutter ängstlich.

«Nee, das ist in einen Mastbetrieb gekommen, war ja so mager.»

«Einen Mastbetrieb?»

«Ja, Schweinemast. Da werden die Tiere ruckzuck auf Schlachtgewicht gefüttert.»

«Wissen Sie, an welchen Mastbetrieb unser Rudi verkauft wurde?»

«Nee, keine Ahnung. War aber wohl ein Betrieb aus der Umgebung. Tja, das wird schwer sein, das Tier zu finden, wenn es nicht schon...» Er sah Zuppi an und schwieg.

12. Kapitel

Am nächsten Morgen machten wir uns auf die Suche nach dem Betrieb, an den Rudi verkauft worden war. Wir hatten noch über eine Woche Ferien.

Mutter war zu Hause geblieben. Sie mußte ihre Aktentasche auspacken. Die läßt sie nämlich immer am letzten Schultag, wenn sie nach Hause kommt, einfach fallen, eine dicke Aktentasche, vollgestopft mit Zetteln, Beurteilungen, Aktenbögen, Notizen, Briefen, also all dem, was sich in der letzten Zeit vor Ferienbeginn angesammelt hat. Die Ferien über bleibt die Tasche da, wo sie sie hat fallen lassen, stehen, an der Garderobe. Wenn die Ferien dem Ende zugehen, schiebt sie die Tasche mit dem Fuß weg, hebt sie eines Tages auf, trägt sie in die Küche, am nächsten Tag ins Schlafzimmer, vom Schlafzimmer ins Kinderzimmer, bis sie die Tasche auf ihren Schreibtisch hebt und einfach auskippt. Dann fängt sie damit an, all die Zettel zu sortieren, schreibt, stöhnt hin und wieder, knäult mit einer wilden Bewegung Papier zusammen und wirft es in den Papierkorb. Es ist besser, sie in dieser Zeit gar nicht anzusprechen. Wir merken alle, in ein paar Tagen geht die Schule wieder los.

Vater hatte morgens bei der Landwirtschaftskammer angerufen und sich die Adressen der Schweinemastbetriebe in der näheren Umgebung geben lassen.

Der erste Betrieb, den wir besuchten, sah nicht wie ein Bauernhof, sondern wie eine Fabrikhalle aus.

Der Besitzer des Mastbetriebs war ein jüngerer Mann. Er sagte, er habe vor zwei Wochen ein paar Schweine von einem Viehhändler gekauft, aber woher der die Tiere hatte, könne er nicht sagen. Und natürlich wisse er jetzt nicht mehr, welche Tiere das gewesen seien. Er wolle uns aber gern alle Schweine zeigen.

In der Halle standen die Schweine in langen niedrigen Käfigen auf Eisenrosten, darunter wurde Mist und Jauche gesammelt und nach außen geleitet. Durch alle Käfige liefen Futterrinnen, in die automatisch aus einem Silo das Kraftfutter gefüllt wurde, und zwar sorgte ein Computer für die richtige Zusammensetzung. Der Schweinemäster war sehr stolz auf die technische Einrichtung, die er gerade neu gekauft hatte. Das Geld hatte er sich von einer Bank geliehen.

«Alles sauber abgewickelt. Nur das Schweinefleisch darf dieses Jahr nicht schon wieder billiger werden, das wär ne Sauerei», sagte er.

Er zeigte uns die Lichtanlage, damit konnte man bestimmen, wann die Schweine schlafen und wann sie wachen, also fressen sollten. Denn das war die einzige Aufgabe der Schweine, möglichst viel und schnell zu fressen, damit sie recht bald dick würden, um dann geschlachtet zu werden. Die Masthalle war hell erleuchtet, wesentlich sauberer als der Stall vom

62

alten Voß, und doch wirkte das alles traurig. Die Schweine bissen sich, da sie so dicht zusammenstanden, immer wieder gegenseitig die Schwänze oder Ohren ab. Manche Tiere standen hinter den Gitterstäben und wackelten mit den Köpfen hin und her, ohne daß sie uns auch nur ansahen. Langsam gingen wir an den Ställen vorbei und betrachteten die Schweine.

«Das werdet ihr kaum wiedererkennen, euer Schwein, nach drei Wochen, da hat das ganz schön aufgespeckt.»

Wir besuchten noch zwei andere Betriebe. Überall das gleiche Bild: Traurige Schweine, die aus lauter Langeweile fressen, weil sie ja nichts anderes tun können als fressen. Wie fürchterlich mußte das für Rudi sein, in so einem winzigen Stall zu sitzen, wo er doch so gern rumrannte.

So kamen wir in den vierten Betrieb. Der Besitzer war knurrig und wollte uns erst gar nicht in den Stall hineinlassen, erst als Vater sagte, wir wollten uns nur einmal so einen modernen Mastbetrieb ansehen, fühlte er sich geschmeichelt und erklärte sich bereit, uns zu führen.

«Sie haben Glück, den Stall noch so voll zu sehen, denn morgen werden die Schweine zum Schlachthof gebracht.»

Wir gingen durch die Reihen der Käfige. Hinter den Gitterstäben die Schweine, fett und matt saßen sie da und kauten. Da hörten wir plötzlich ein aufgeregtes Quieken hinter uns, und ein Schwein steckte seinen Rüssel durch die Gitterstäbe.

Tatsächlich, es war Rudi. Hätte er sich nicht selbst gemeldet, wir hätten ihn nicht wiedererkannt, so dick und unförmig war er geworden.

Zuppi rief: «Das ist Rudi, das ist mein Schwein.»

«Dein Schwein», sagte der Schweinemäster, «daß ich nicht lache!»

Zuppi erzählte die Geschichte von Rudi. Aber der Schweinemäster sagte nur: «Da kann ja jeder kommen und sagen, das ist mein Schwein. Die kann man doch gar nicht auseinanderhalten, wenn sie nicht einen schwarzen Fleck haben oder ihnen der Schwanz fehlt.»

«Wir können Rudi unter Tausenden von Schweinen wiedererkennen», sagte Betti.

«Stimmt», sagte Vater, «wir kennen unser Schwein so gut, daß wir es sofort erkennen, und Sie sehen ja, das Schwein hat uns auch erkannt.»

Rudi preßte, soweit es nur irgend ging, seinen dicken Kopf durch die Gitterstäbe und quiekte leise, ein besonderes Quieken, das lauter wurde, als Zuppi ihm den Rüssel streichelte.

«Das kann jeder erzählen. Ich hab das Schwein für gutes Geld gekauft und habe es schon an den Schlachthof weiterverkauft.»

«Wir würden Ihnen das Geld, das Sie für Rudi gezahlt haben, zurückerstatten», sagte Vater.

«Und die anderen Ausgaben», fragte der Schweinemäster, «das Kraftfutter, die Stallkosten, der Silo,
die computergesteuerte Futtermischanlage?»

«Gut, auch die zusätzlichen Auslagen können wir
Ihnen zahlen.»

«Und meinen Gewinn? Ich habe doch schon das
Geschäft mit dem Schlachthof abgeschlossen.»

«Na gut, auch das. Was soll es denn kosten?»

Der Mann dachte einen Augenblick nach, dann
sagte er: «350 Mark».

«So viel», sagte Vater. «Nein, so viel Geld habe ich
gar nicht bei mir.»

«Können Sie uns das Schwein nicht erstmal mitge-
ben, und wir kommen morgen und zahlen?» fragte
Betti.

«Nein, das gibt's nicht», sagte der Mann böse.
«Neulich waren irgendwelche Tierschützer da und
haben zehn Schweine gekauft, auch abtransportiert,
aber gezahlt haben sie bis heute nicht. Entweder das
Geld bar auf die Hand, oder das Schwein kommt
morgen unter die Messer.»

13. Kapitel

Wir fuhren nach Hause. Vater war wütend, und wie immer, wenn er sich geärgert hatte, auch ziemlich ungeduldig, schimpfte über die anderen Autofahrer, weil die angeblich zu schnell oder zu langsam fuhren, schimpfte mit Betti, weil die an seinem Sitz zerrte, schimpfte mit mir, weil ich nicht sofort das Fenster zudrehte. Na ja, wir kennen das schon, und nur Mutter kann sich noch darüber ärgern.

Zu Hause hielten wir dann unseren Familienrat ab.

«Was tun?» fragte Mutter.

«350 Mark ist ja wirklich ein schöner Batzen Geld. Das fällt schließlich nicht vom Himmel», sagte Vater und sah dabei Mutter an.

«Aber wir müssen doch Rudi retten!»

«Am Geld soll es nicht scheitern», sagte Mutter.

«Aber bedenkt mal, so ein ausgewachsenes Schwein, er ist doch inzwischen riesig, wir kriegen den nicht mal mehr in das Badezimmer rein. Und dann, wenn das Herr Buselmeier erfährt, schmeißt der uns sofort raus. Ich glaube, auch die anderen Mieter werden sich beschweren. Ein Jungschwein, das ging ja noch an, das finden viele ganz niedlich, aber was werden die sagen, wenn wir ein ausgewachsenes Mastschwein in die Wohnung treiben.»

«Daß er jetzt dick ist, dafür kann Rudi nichts», sagte Betti. «Man muß ihn eben heimlich in die Wohnung schaffen.»

«Und dann», rief Vater erregt, «was dann? Sollen wir hier Jahr um Jahr mit einem Schwein im

Badezimmer leben?»

«Wir können ihn ja nachts spazierenführen.»

«Und das Geld für das Fressen? So ein Schwein kann man doch nicht mehr von unseren Abfällen ernähren. Das will fressen, fressen, fressen. Sollen wir uns im Bad eine Futteranlage einbauen lassen, computergesteuert? Und dann, wer mistet das Bad aus? Ich natürlich. Es war ja schon immer mein Traum, Schweinezüchter zu werden.»

«Dir tut Rudi also gar nicht leid?»

«Doch», rief Vater, «aber man wird ja mal fragen dürfen, wohin mit dem Schwein, und was das alles kostet.»

Betti sagte, sie wolle bei Nachbarn Fenster putzen, dafür bekäme sie pro Stunde fünf Mark. Zuppi wollte bei der alten Frau, die über uns wohnt, fegen, besen, sagte sie, und ich wollte in Mathematik Nachhilfeunterricht geben. Aber bis wir die 350 Mark zusammengespart hätten, wäre Rudi längst geschlachtet worden.

Mutter sah Vater an und nickte ihm zu. «Die Kinder sollen von ihrem Taschengeld etwas zulegen, sagen wir mal 150 Mark.»

Endlich gab sich Vater einen Ruck und sagte: «Gut, wir legen das Geld erstmal aus.»

Am nächsten Morgen standen wir früh auf und fuhren zu dem Mastbetrieb. Als wir dort ankamen, stand auf dem Hof ein Lastwagen, und der Fahrer verriegelte eben die Heckklappe. Auf dem Lastwagen drängten sich die Schweine.

«Halt», rief Zuppi, «halt, das ist unser Schwein, das da oben.»

«Komm», sagte der Fahrer, «geh mal aus dem Weg. Ich hab keine Zeit.»

Der Fahrer stieg in die Fahrerkabine. Vater rannte zu dem Mastbesitzer und winkte schon von weitem mit dem Geld. Der Schweinemäster zählte die Scheine umständlich nach, dann ging er zu dem Laster und sagte zu dem Fahrer: «Ein Schwein muß wieder runter.»

«Auch das noch», sagte der Fahrer, stellte den Motor ab und stieg aus der Fahrerkabine. «Welches Schwein denn, um Gotteshimmelswillen?»

«Ich pfeif einfach», sagte Mutter.

Der Fahrer ließ die Heckklappe des Lastwagens herunter. Mutter pfiff auf zwei Fingern. Da drängte sich durch all die dicken Schweine Rudi hindurch und stieg langsam und schwerfällig über die Klappe auf die Rampe. Hinter ihm machte der Fahrer die Klappe wieder hoch.

Es war nicht einfach, Rudi in unseren Kombi zu bekommen. Selbst konnte er nicht hineinsteigen, dazu war er viel zu dick. Vater fuhr den Wagen an die Rampe, und Rudi stieg ein. Der Wagen hing schwer auf der Hinterachse.

«Hoffentlich bricht die Achse nicht», sagte Vater.

Als wir losfuhren, kamen wir an dem Viehtranspor-
ter vorbei. Da begann Zuppi zu weinen, denn auf
dem Wagen sah man all die anderen Schweine
stehen, die traurig durch die Gitter guckten.

Um Zuppi abzulenken, fragte Vater: «Wohin jetzt
mit Rudi?»

«Erstmal nach Hause», sagte Mutter.

14. Kapitel

Als wir zu Hause ankamen, wurde es dunkel. Solange hatten wir gewartet und waren in der Gegend herumgefahren. In einem Gasthof hatten wir etwas gegessen. Den Wagen hatten wir auf dem Parkplatz abgestellt und die Heckklappe aufgelassen, denn aussteigen wollte und konnte Rudi nicht.

Er lag hinten und schnaufte schwer. Erst wenn es dunkel wurde, wollten wir versuchen, ihn in die Wohnung zu bringen. Wir hatten uns einen genauen Plan gemacht. Es war fast wie in einem Krimi so spannend, und zugleich machte es einen Mordsspaß, gemeinsam mit Vater und Mutter etwas Verbotenes zu tun.

Wir fuhren langsam an unserem Haus, das ja leider nicht uns gehörte, vorbei. Vater wollte schon halten, da entdeckten wir Herrn und Frau Heinz, die ihren struppigen, kleinen Hund spazierenführten. Also mußten wir nochmals um den Block fahren. Als wir wieder zum Haus kamen, war die Luft rein. Betti stieg aus und sollte im Treppenhaus nachsehen, ob nicht irgendein Mieter aus dem Haus oder womöglich Herr Buselmeier die Treppe herunterkam.

Dann gab sie das verabredete Zeichen. Die Luft war rein. Mutter lief und schloß die Wohnungstür auf, wir sprangen aus dem Wagen, öffneten die Heckklappe. Jetzt zeigte sich aber, daß Rudi nicht herausspringen konnte. Er konnte sich, da er mit der Schnauze voran in den Wagen gestiegen war, nicht umdrehen. Er mußte also rückwärts wieder aussteigen. Das aber ging nicht. Er hätte sich, wäre er rückwärts rausgesprungen, mit seinem enormen Gewicht sicherlich ein Bein gebrochen. So ließ er sich langsam über den Heckrand des Wagens gleiten, blieb aber mit dem Bauch hängen. Heben konnten wir ihn nicht, er war viel zu schwer. Was war zu tun? Ein Spaziergänger kam vorbei, ein älterer Mann. Er entdeckte natürlich sofort die aus dem Wagen hängenden Hinterbeine des Schweins und blieb stehen.

«Was machen Sie denn da?» fragte der Mann mißtrauisch.

«Das sehen Sie doch», sagte Vater, «Schweineklopfen.»

72

«Schweineklopfen, was ist denn das?»

«Man setzt das Schwein in den Wagen, und jeder, der vorbeikommt, darf für eine Mark einmal auf das Schwein klopfen.»

«Und was soll das?»

«Meine Güte», sagte Vater, «Sie kennen sich aber überhaupt nicht aus. Das bringt Glück.»

Der Mann suchte in den Taschen und zog eine Mark heraus.

«Aber schnell», sagte Vater.

Der Mann gab Vater die Mark, klopfte auf Rudis Hinterbacke und ging weiter. Er drehte sich immer wieder um, wahrscheinlich weil wir so laut lachten. Rudi, dem die Lage unbequem wurde, begann leise zu quieken. «Wie kriegen wir den bloß raus?»

Mutter kam herüber. «Was ist denn los», rief sie.

«Rudi hängt fest.»

«Wir brauchen ein Brett.»

Aber wer hat schon zu Hause ein Brett herumliegen. Was sollte man nehmen? Es war Zuppi, die den rettenden Einfall hatte: «Ein Bügelbrett.»

«Nein», sagte Mutter, «nicht unser Bügelbrett.»

«Wir müssen uns beeilen. Wir müssen Rudi hier schnell rausholen.»

Da gab Mutter nach, und Betti und ich liefen in die Wohnung und holten aus der Kammer unser Bügelbrett. Das legten wir an die Stoßstange, und so bekam Rudi wieder festen Boden unter die Füße. Ganz vorsichtig, Schritt für Schritt, stieg er über das

Bügelbrett aus dem Wagen. Endlich stand er auf der Straße. Langsam trottete er zum Hauseingang. Da ging plötzlich im Treppenhaus das Licht an, und sogleich ertönte auch Bettis Warnpfiff. Also kam jemand aus dem Haus. Wohin mit Rudi? Weglaufen und sich hinter unserem Wagen verstecken, dazu war Rudi in seinem Fettpanzer viel zu behäbig. Es blieb nur eins, wir schoben ihn schnell hinter den Rhododendronbusch im Vorgarten, hinter dem sich damals schon der Einbrecher versteckt hatte. Aber der Busch war für Rudi viel zu klein. Vorn schaute die Schnauze und hinten der dicke Hintern mit dem Ringelschwanz raus.

«Verflixt», sagte Mutter, «schnell, wir müssen uns davorstellen.»

Wir stellten uns also schnell in einer Reihe auf, dicht nebeneinander, so als wollten wir dem, der da aus der Tür kam, etwas vorsingen.

Die Haustür ging auf, und Herr Buselmeier erschien. Er sah uns im Vorgarten nebeneinander auf dem wie mit der Nagelschere geschnittenen Rasen stehen, was natürlich verboten war. Verdattert blieb er stehen.

«Was machen Sie denn da?» fragte er schließlich.

In dem Moment steckte Rudi neugierig den Kopf zwischen Vaters Beinen durch. Herr Buselmeier erstarrte. Wir dachten schon, ihn habe der Schlag getroffen und er könne überhaupt nichts mehr sagen.

74

Dann kam aus seinem Mund ein Stöhnen, und er sagte: «Was, schon wieder ein Schwein? Wollen Sie in meinem Vorgarten eine Schweinezucht eröffnen? Oder sind Sie schweinesüchtig?» Und dann schrie Herr Buselmeier: «Wenn Sie denn unbedingt mit Schweinen zusammenleben wollen, dann bitte, aber nicht in meinem Haus. Ich kündige Ihnen fristlos.» Da sagte Vater: «Gut, Herr Wuselmeier, dann ziehen wir eben aus.»

Herr Buselmeier geriet über diesen Wuselmeier so außer sich, daß sich seine Stimme überschlug, er fuchtelte mit der Faust und brüllte: «Raus, raus, raus.»

Überall im Haus gingen die Fenster auf, und die Leute schauten hinaus, was da unten denn los sei, und da sahen sie uns mit dem dicken Schwein stehen und den Herrn Buselmeier toben. Jetzt war alles egal.

«Komm, Rudi», rief Vater. «Jetzt gehen wir schön in die Wohnung, erst duschen, dann Zähneputzen und dann ins Bett.»

Wenn Vater seine Angst vor Peinlichkeiten überwunden hat, dann ist er wirklich toll.

Wir gingen ganz gelassen an dem tobenden Herrn Buselmeier vorbei ins Haus.

Als wir in der Wohnung waren, mußten wir uns vor Lachen erstmal hinsetzen. Das war zu komisch gewesen, wie Vater Herrn Buselmeier mit Wuselmeier angeredet hatte. Vater behauptete zwar, das

sei Absicht gewesen, aber Vater verwechselt häufig die Namen, und vielleicht war es auch nur Zufall gewesen.

Dann, nachdem wir uns alle etwas beruhigt hatten, machten Vater und Mutter Kartoffelpfannkuchen, auch Rudi bekam drei Stück. Er putzte sie weg wie nichts, fraß danach Äpfel, Kartoffeln, zwei alte Bananen. Er war noch immer nicht satt.

«Meine Güte», sagte Vater, «der ist ja gar nicht mehr satt zu bekommen.»

«Wohin mit Rudi Rüssel?»

«Wohin mit uns? Wir müssen nämlich spätestens am Monatsende aus der Wohnung ausziehen.»

Die Fröhlichkeit war plötzlich verflogen. Wir saßen alle da und dachten nach. Schade, daß wir hier ausziehen mußten. Immerhin gab es doch einen kleinen Garten, in dem man spielen konnte.

«Das wird nicht einfach sein», sagte Vater, «wir müssen ja auch dieses Viech unterbringen.»

Daß er Viech sagte, war kein gutes Zeichen, es zeigte, daß er langsam auf Rudi wütend wurde.

«Das werden wir schon schaffen», sagte Mutter. «Wir haben ja noch eine Woche Ferien. Wir müssen gleich morgen früh mit der Suche nach einer neuen Wohnung beginnen.»

Vater blickte finster zu Rudi hinüber, der auf dem Teppich lag wie ein dicker Mehlsack.

15. Kapitel

In der letzten Ferienwoche suchten Mutter und Vater von morgens bis abends eine Wohnung. Sie lasen die Anzeigen in der Zeitung und besuchten Makler und sahen sich Wohnungen an. Es war nicht leicht, die richtige Wohnung zu finden, denn die sollte ja, weil Vater nichts verdiente, möglichst billig sein, und sie sollte einen Garten haben, und dann sollte der Vermieter auch noch ein Schwein dulden. Das war natürlich verdammt viel auf einmal.

Am vierten Tag kamen sie abends nach Hause. Mutter setzte sich erschöpft auf einen Stuhl in der Küche. Vater kochte Tee und sagte: «Unmöglich. Mit dem Schwein nimmt uns kein Mensch auf. Und dann diese Peinlichkeit, wenn die fragen, wieviel Kinder haben Sie? Drei. Dann sagen die meisten schon nein. Und die paar, die sagen: Na ja, sowas kann passieren, die fragen dann, ob wir irgendein Haustier haben, denn wer Kinder hat, hat auch ein Haustier, denken die sich und haben ja auch recht. Dann sagen wir: Ja. Ein Hund? Nein. Eine Katze? Nein. Einen Kanarienvogel? Nein. Was denn dann? Ein Schwein.» Vater zündete sich eine Pfeife an, hustete beim Anrauchen, was ihm sonst nie passiert. «Tja, und das war's dann.»

«Aber immerhin», sagte Mutter, «einer hat uns gefragt, was das denn für ein Schwein sei.»

Vater schnaubte durch die Nase: «Ja. Und als du ihm gesagt hast: Ein nettes sauberes deutsches Hausschwein, da hat er nur ach so gesagt. Und hat uns dann erklärt, daß er uns die Wohnung vermieten würde, wenn es ein vietnamesisches Hängebauchschwein wäre. Die sind nämlich nur so groß wie ein Spaniel, sollen ganz still sein und auch nur wenig fressen.»

«Rudi frißt doch gar nicht mehr so viel», sagte Zuppi.

«Wenn fünf Kilo Kartoffeln nicht so viel sind und...»

«Nun laß mal», sagte Mutter, «wir werden schon einen Weg finden. Sonst stellen wir Rudi einfach wieder bei einem Bauern unter.»

Einen Vorteil hatte die Kündigung von Herrn Buselmeier, wir konnten jetzt ganz offen mit Rudi im Haus ein und aus gehen. Wir führten ihn morgens und nachmittags wie einen Hund spazieren. Das war auch nötig, um ihm das überflüssige Fett vom Körper zu holen. Er mußte viel laufen und bekam weniger zu fressen. Wenn Zuppi mit ihm rausging, dann legte sie ihm als Halsband einen Ledergürtel von Vater um den Hals. Vater durfte das natürlich nicht wissen, aber der Gürtel paßte als einziger um Rudis dicken Nacken. An den Ledergürtel knüpften wir einen langen Lederriemen, und dann zogen wir los.

Einmal sind wir nach Hagenbeck gegangen, dem Zoologischen Garten in Hamburg.

Erst wollte die Frau an der Kasse uns gar nicht in

78

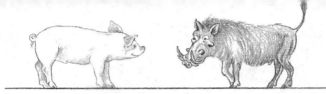

den Zoo lassen, weil man auch keine Hunde mitnehmen darf, aber dann hatte sie ein Einsehen und ließ
uns durch. Das war natürlich eine Aufregung. Die
Leute liefen, wo immer wir hinkamen, zusammen,
als hätten sie noch nie ein Schwein gesehen. Natürlich ist ein Schwein, das in einem Tiergarten von
Kindern an einer Leine ausgeführt wird, interessan-
ter als all die eingesperrten Tiger und Löwen. Zum
Glück waren Mutter und Vater nicht dabei, denn
wir stritten uns den ganzen Weg über, wer von uns
Rudi halten dürfe.

Als wir aber zu dem Kinderspielplatz im Zoo
kamen, wollte ihn plötzlich keiner mehr halten, weil
jeder sofort auf die große Rutsche wollte. Wir haben
Rudi dann einfach an einen Baum gebunden. Dort
lag er im Schatten und wurde mit den Stullen
von Schülern gefüttert, die einen Klassenausflug
machten.

Später hat Rudi dann noch gestaunt, als er die
Warzenschweine in ihrem Käfig sah. Die sahen
wirklich sehr sonderbar aus. Und die Warzenschweine, die eben noch dagelegen und gedöst hatten, waren ebenfalls neugierig aufgestanden, hell-
wach und sahen Rudi an.

Einmal, am letzten Tag, sind wir mit Rudi nach
Blankenese an die Elbe gefahren. Wie wir das
gemacht haben? Ganz einfach. Wir sind mit der U-,
dann mit der S-Bahn gefahren. Für Rudi haben wir

eine Kinderkarte gelöst und haben ihn dann mit in das Hundeabteil genommen. Unten an der Elbe sind wir durch den Sand am Ufer gegangen.

Rudi lief herum. Er hatte inzwischen etwas von seinem Gewicht verloren. Er buddelte aus dem Sand die unglaublichsten Sachen aus: alte Schuhe, Keksschachteln, eine Gasmaske, zwei kaputte Sonnenbrillen, ein verrostetes Spielzeugauto. Schweine haben nämlich eine ganz besonders gute Nase. Darum werden sie auch, wie wir in der Schule gelernt haben, in Frankreich bei der Trüffelsuche eingesetzt. Trüffel sind die teuersten Pilze der Welt, sie sollen ganz toll schmecken und riechen. Schweine mit besonders guten Nasen, die sogenannten Trüffelschweine, suchen die Pilze, die unter der Erde wachsen. An der Stelle, wo die Schweine zu scharren beginnen, gräbt der Mann, der das Schwein begleitet, die Trüffel aus. Nun wollen die Schweine natürlich die Trüffel, die ein besonderer Leckerbissen für sie ist, fressen. Sie bekommen sie aber nicht, was natürlich ziemlich gemein ist.

An der Elbe spielten wir mit Rudi «Trüffelschwein». Wir hielten Rudi mit seinen Schlappohren die Augen zu und vergruben dann unsere Socken im Sand. Dann ließen wir ihn die Socken suchen. Das Tolle war, er fand die Socken, selbst wenn wir sie ganz weit weg im Sand vergraben hatten.

«Rudi ist wirklich eine Supernase», sagte Betti.

16. Kapitel

Und dann, endlich, fanden Mutter und Vater ein Haus. Sie fanden es, weil Vater immer in der Zeitung die Stellenangebote las. Er suchte ja Arbeit. Und da entdeckte er eine Anzeige: *«Platzwart für einen Sportplatz gesucht. Kostenfreies Wohnen in einem Haus auf dem Sportplatz.»*

Vater sagte: «Ich bewerbe mich. Ich werde Platzwart.»

«Unsinn», sagte Mutter, «du bekommst bestimmt irgendwann eine Anstellung an einer Universität, vielleicht klappt es ja in Zürich.»

«Nein», antwortete Vater, «ich mach das erstmal, denn nur so kriegen wir einen Platz für Rudi. Und Platzwart ist nicht das Schlechteste. Nebenher kann ich ja weiter an meinen Übersetzungen arbeiten.»

Wir waren begeistert. Nur Mutter guckte sehr traurig und nahm die Hand von Vater und drückte sie kräftig. Dann stand sie auf, fast schien es, als wollte sie weinen.

Vater rief am Montag, als wir wieder in der Schule waren, den Verein HEBC an, um sich zu bewerben. Die waren erst etwas mißtrauisch, weil er so einen komischen Beruf hatte, Ägyptologe, aber nachdem er ihnen gesagt hatte, er habe auch schon mal in Ägypten eine Ausgrabung mitgemacht, also viel mit Sand zu tun gehabt, da sagten sie zu. Und das Tollste war, wir konnten gleich in das Haus einziehen, weil der alte Platzwart über Nacht verschwun-

den war. Der hatte nämlich im Lotto gewonnen und war auf eine Weltreise gegangen.

«Das nenne ich Schwein», sagte Vater, «denn auch Rudi Rüssel kann bei uns wohnen. Allerdings verlangt der Vereinsvorstand innerhalb von einem Monat einen Nachweis, daß das Schwein für eine künstlerische Tätigkeit gebraucht wird. Dann und nur dann dürfen wir Rudi auf dem Sportplatz behalten.»

«Künstlerische Tätigkeit, was heißt denn das? Soll Rudi als Feuerschlucker auftreten?»

«Ich weiß auch nicht, was damit gemeint ist, jedenfalls ist das von der Behörde vorgeschrieben, daß ein Schwein auf einem Sportplatz in der Stadt nur dann gehalten werden darf, wenn es für eine künstlerische Tätigkeit gebraucht wird. Seilspringen vielleicht oder auf Stelzen gehen. Wir müssen eben etwas finden, was Rudi machen könnte. Dann lassen wir ihn zweimal bei dem Vereinsfest auftreten, und damit wird Rudi als Kunst-Schwein anerkannt. Wir haben ja noch einen Monat Zeit.»

Der Sportplatz lag mitten in der Stadt und war von großen Mietshäusern umgeben. Es war ein einfacher Fußballplatz ohne Tribünen. Am Rande standen zwei kleine Gebäude, auf der einen Seite ein kleines Klubrestaurant und auf der anderen Seite, in einem kleinen Garten, das Haus für den Platzwart, daneben ein Schuppen, in dem die Kreidesäcke, die

Netze für die Tore und die Geräte für die Platzpflege untergestellt waren. Neben unserem Haus waren dann auch noch die Duschen und Umkleidekabinen für die Fußballspieler. Nun war Vater plötzlich Platzwart auf einem Fußballfeld. Das war für uns natürlich ganz toll. Denn wir konnten Fußball spielen, so viel wir wollten, nur dann nicht, wenn trainiert oder ein Spiel ausgetragen wurde. Das war manchmal am Mittwoch, immer aber am Sonntag, dann spielten nämlich die Vereine der Amateurliga. Die Leute aus den umliegenden Häusern konnten von ihren Fenstern und Balkonen aus zusehen, ohne dafür etwas zahlen zu müssen.

Wenn die Sonne schien, staubte es mächtig, regnete es, dann verwandelte sich der Platz in ein dunkelgraues Schlammfeld. Vaters Aufgabe war es nun, vor jedem Spiel das zertretene Fußballfeld wieder zu glätten, und er mußte die weißen Linien des Spielfelds nachziehen, also die Seitenlinien, die Mittellinie, aber auch die Strafraum- und Torraumlinien. Vater hatte dafür einen kleinen roten Traktor, hinter dem er ein Stahlnetz schleppte, und mit diesem Netz glättete er den von den Fußballstiefeln zerstampften Boden.

War der Boden glatt, dann wurde an den Traktor eine kleine zweirädrige Maschine gehängt, mit einem Blechkasten und einem Trichter, der auf den Boden zeigte. In den Blechkasten wurde Kreidestaub geschüttet, der, wenn man auf einen Knopf drückte, herausrieselte, so wurden die Linien weiß nachgezogen.

Vater fuhr also mit dem Traktor die Linien ab. Natürlich durfte er dabei nicht zickzack fahren. Er sagte immer, die Arbeit habe ja überhaupt nichts mit dem zu tun, was er einmal studiert habe, aber immerhin sei es eine Arbeit, bei der man viel an der frischen Luft sei. «Und das ist doch wenigstens etwas.»

Aber manchmal stieg er von seinem Traktor, mitten beim Ziehen der Kreidelinie, und lief ins Haus. Dann sah man ihn, wie er an seinen Schreibtisch ging, sich über seine Hieroglyphen beugte und etwas aufschrieb. Dann ging er wieder hinaus zu seinem Traktor. Wenn er anfuhr, blieb an der Stelle eine kleine, weiße Zacke in der Linie. Wir konnten an den Linien genau sehen, wie oft er an seine Hieroglyphen gedacht hatte. Manchmal waren die Linien ganz gerade, manchmal waren viele kleine Zacken in den Linien. Und einmal fragte sogar ein Schiedsrichter vor Spielbeginn, ob Vater beim Nachzeichnen der Linien einen Schluckauf gehabt habe.

Rudi hatten wir in dem Geräteschuppen einen Verschlag aus Holz gebaut. Da lag er nachts drin. Tagsüber lief er in dem kleinen Garten herum und steckte seinen Rüssel in die Erde. Wir waren alle zufrieden: Vater verdiente Geld, wir konnten kostenlos in dem Haus wohnen, Mutter und wir Kinder hatten es nicht weit zur Schule, und Rudi brauchten wir nicht mehr zu verstecken. Sorge machte uns nur, daß wir nachweisen mußten, daß Rudi kein gewöhnliches Hausschwein, sondern ein Schwein mit einer künstlerischen Beschäftigung sei.
«Künstlerische Beschäftigung, sowas Beknacktes, wer sich sowas nur ausdenkt», sagte Betti.
Mutter meinte, mit dieser Verordnung wolle man verhindern, daß man auf dem Sportplatz Schweine

hält, und nur dann eine Ausnahme machen, wenn jemand ein Schwein halte, das im Zirkus auftritt. Natürlich sind Zirkusschweine etwas ganz Besonderes, für die es auch gesetzliche Ausnahmen geben mußte.

Wir hatten nur einmal ein Schwein im Zirkus gesehen. Ein Schwein, das eine weiße Kochmütze auf dem Schädel trug, vor dem Bauch eine weiße Schürze hatte und auf den Hinterbeinen ging. Im Maul hielt es einen großen Kochlöffel. Der Dompteur legte dem Schwein ein rohes Ei in den Kochlöffel, und das Schwein ging mit dem Ei im Löffel aufrecht auf seinen Hinterbeinen einmal durch die Manege.

Etwas Ähnliches versuchte Zuppi nun mit Rudi einzuüben. Sie steckte ihm einen Löffel ins Maul. Er ließ ihn fallen. Zuppi versuchte es geduldig weiter, bis er den Löffel tatsächlich im Maul behielt. Aber durch nichts in der Welt konnte Zuppi Rudi dazu bewegen, auf zwei Beinen zu stehen. Er konnte wohl einfach nicht einsehen, warum er sich von seinen bequemen vier Beinen erheben und plötzlich nur noch auf zwei Beinen sein ganzes Gewicht tragen sollte.

Was Zuppi gelang, war, daß Rudi «hübsch» machte. Das lernte er blitzschnell. Zuppi hielt ihm ein Stückchen Schokolade hin und zack, saß er auf seinen dicken Hinterschenkeln und machte «hübsch», aber aufstehen und auf den Hinterbeinen stehen wollte er
88

nicht. Schließlich gab Zuppi auf und sagte, er könne den Eierlauf ja auch auf allen vieren machen. Also steckte sie ihm den Kochlöffel zwischen die Zähne und legte ein Ei hinein. Rudi machte ein paar Schritte, und das Ei flog raus. Rudi fraß das kaputte Ei sofort auf, samt Eierschalen.

Zuppi versuchte es wieder und wieder. Aber Rudi machte nur ein paar Schritte, schon flog das Ei aus dem Löffel, und er fraß es sogleich auf. Zuppi hatte schon mindestens zehn Eier verbraucht, als Mutter dazukam.

«Sowas Dummes», schimpfte Mutter. «Die teuren Eier! Du kannst doch ein weißes Kunststoffei nehmen.»

Zuppi besorgte sich ein täuschend ähnlich aussehendes Ei aus Kunststoff und legte es Rudi in den Löffel. Rudi lief los, ließ das Ei fallen, nahm es ins Maul, stutzte und spuckte es schnell wieder aus.

Rudi weigerte sich, mit dem Kunststoffei im Löffel auch nur einen Meter weit zu gehen. Er blieb, als Zuppi ihm das Kunststoffei in den Löffel legte, einfach dickfellig stehen.

Da kam uns ein bestimmter Verdacht. Wir legten ihm nochmals ein rohes Ei in den Löffel. Und siehe da, er marschierte los, machte ein paar Schritte, ließ das Ei fallen und fraß es genußvoll samt Eierschalen auf. Er leckte den Boden regelrecht ab.

«Aus Rudi wird nie ein Zirkusschwein», sagte Zuppi.

Was sollten wir jetzt tun?

17. Kapitel

Es war Vater, der die rettende Idee hatte.

Wenn die Mannschaft unseres Vereins in ihren blau-weiß gestreiften Hemden am Sonntag spielte, dann kamen auch immer ein paar Zuschauer. Mal waren es nur zwanzig, mal waren es über achtzig. Und wir Kinder sahen dann ebenfalls zu, jedenfalls Zuppi und ich. Betti spielt Handball. Wenn also die Spieler auf dem Spielfeld hinter dem Ball herrannten, dann wurde Rudi im Garten des Platzwart-Hauses ganz aufgeregt. Er stand am Gartenzaun und trippelte hin und her.

«Der will auch zugucken», sagte Zuppi und nahm ihn beim nächsten Spiel mit an den Rand des Spielfeldes. Und da hättet ihr Rudi erleben müssen. Er kannte genau die Spieler unseres Vereins, denn er sah sie ja immer trainieren und in den Umkleidekabinen ein- und ausgehen. Jetzt, da er bei einem Spiel zugucken durfte, rannte er, wenn unsere Vereinsmannschaft auf das gegnerische Tor zustürmte, in einem wilden Schweinsgalopp mit, dabei zog er Zuppi an der Leine hinter sich her. Die Zuschauer schrien und lachten, und es kam eine tolle Stimmung auf. So bekam auch unsere Mannschaft den richtigen Schwung und gewann das Spiel sehr hoch. Nach dem Spiel sagte Vater: «Ich hab's, Rudi muß ein Maskottchen werden.»

Maskottchen, das sind Glücksbringer. Es gibt ja Vereine, die eine Ziege haben oder ein Pony und die diese Tiere sogar zu jedem Auswärtsspiel mitbrin-

91

gen, warum sollte unser Verein nicht ein Schwein haben? Schwein haben, bedeutet doch Glück haben. Vater schlug dem Vereinsvorstand Rudi als Maskottchen vor. Der Vereinsvorstand war, nachdem er den Trainer befragt hatte, einverstanden. So kam es, daß Rudi ein Fußballmaskottchen wurde. Und damit übte er auch eine künstlerische Tätigkeit aus. Die wurde vom Bezirksamt sofort anerkannt. Rudi bekam also eine von der Behörde bestätigte Genehmigung, daß er auf dem Sportplatz leben durfte.

Rudi war ein sehr erfolgreiches Maskottchen. Er nahm seine Aufgabe ernst. Er war nicht nur bei den Spielen dabei, sondern saß auch beim Training neben der Seitenlinie und beobachtete genau die Spieler, wenn sie hinter den Bällen herliefen, die ihnen der Trainer oder ein anderer Spieler zuschossen. Und manchmal, wenn ein Spieler zu langsam

war, hielt es Rudi einfach nicht mehr, er rannte im Schweinsgalopp los, zum Ball, und stupste den mit der Schnauze an.

Dann sagte der Trainer: «Mensch, Jupp, nun war das Schwein wieder schneller. Mann, du mußt durchziehen, volles Tempo.»

Jupp lief nochmal los, diesmal so schnell er konnte. Und manchmal ließ der Trainer zum Aufwärmen seine Stürmer mit Rudi um die Wette laufen. Das war natürlich ein Riesenspaß für die Fußballspieler. Die liefen, daß ihnen die Socken qualmten. Und nur ein Mann aus der Mannschaft war hin und wieder, aber nicht immer, etwas schneller als Rudi.

«Hätte ich nie gedacht», sagte der Trainer, «daß Schweine so schnell laufen können.»

«Das ist kein normales Schwein, das ist ein Rennschwein», sagte dann jedesmal Ewald, der Torwart. Rudi machte also beim Training regelrecht mit, und alle hatten ihren Spaß daran.

An den Sonntagen, wenn die Spiele der Amateurliga
ausgetragen wurden, stand Rudi am Spielfeldrand.
Er trug dann ein übergroßes Trikot in den Vereins-
farben. Das heißt, er stand nicht dort, sondern
rannte aufgeregt hin und her, weil er immer wieder
in das Spiel eingreifen wollte. Darum wurde ihm ein
Ledergürtel als Halsband umgelegt, und dann
wurde er an einer langen Leine festgebunden.
Eines Tages stand ein ausführlicher Bericht über
Rudi in einer Zeitung. Mit der Überschrift: *Das
Trainingsschwein.*
Ein Bild zeigte Rudi im Trikot am Spielfeldrand, die
Ohren aufmerksam hochgestellt.
Nach diesem Zeitungsbericht kamen sehr viel mehr
Zuschauer zu den Spielen, darunter viele, die ihren
Kindern einmal ein richtiges Schwein zeigen
wollten.
Rudi brachte dem Verein also tatsächlich Glück,
denn mit den Zuschauern wuchsen die Einnahmen
und auch die Stimmen, die unsere Mannschaft mit
dem Schlachtruf: «Rudi vor, noch ein Tor!» anfeuer-
ten. Die Mannschaft gewann fast alle Spiele. Kein
Wunder, daß Rudi ganz aufgeregt wurde, wenn er
diesen Schlachtruf hörte, dann zerrte er wie wild an
der Leine und wollte ins Spiel eingreifen, besonders
dann, wenn der Schiedsrichter das Spiel abpfiff.

Als wieder einmal der Schiedsrichter das Spiel mit
seiner Trillerpfeife abpfiff, einen Fuß auf den Ball

setzte, die gelbe Karte zückte und sie einem unserer Spieler vor die Nase hielt, sich dessen Nummer notierte, dabei die ganze Zeit den Ball mit dem Fuß festhielt, da riß sich Rudi von der Leine los, raste auf das Spielfeld, rannte den Schiedsrichter um, schnappte sich den Ball und lief damit zum gegnerischen Tor. Alle Spieler rannten hinter Rudi her. Sie redeten ihm zu, den Ball wieder herzugeben. Als er ihn schließlich hinter der Torlinie fallen ließ, da war der Ball nur noch eine weiche Pflaume. Rudi hatte ihn durchgebissen.

Während der ganzen Zeit hatte der Schiedsrichter wie ein Verrückter auf seiner Trillerpfeife gepfiffen.

«Das Schwein muß sofort vom Platz», schrie der Schiedsrichter.

Wir wollten Rudi wieder am Spielfeldrand festbinden, da brüllte der Schiedsrichter: «Das Schwein muß von dem Sportplatz verschwinden.»

Das ging aber nicht, denn Rudi wohnte ja hier.

«Sofort einsperren», befahl der Schiedsrichter, «sonst geht das Spiel nicht weiter.»

Wir zerrten Rudi vom Spielfeld. Er sträubte sich. Aber der Schiedsrichter war unerbittlich.

Rudi kam in den Garten. Dort saß er traurig am Zaun und verfolgte von fern das Spiel, das mit einem neuen Ball fortgesetzt wurde.

18. Kapitel

Schweine haben ein gutes Gedächtnis. Rudi schien ein besonders gutes zu haben. Von dem Tag an hatte er etwas gegen Schiedsrichter. Und da die Linienrichter ebenfalls schwarz gekleidet sind, auch gegen Linienrichter. Genaugenommen gegen jeden Mann, der ein schwarzes Hemd und kurze schwarze Hosen trug. Rudi zeigte, wenn er auch nur von der Ferne einen sah, die Zähne.

Er konnte natürlich nicht verstehen, warum er vom Platz gewiesen worden war. Er glaubte wohl, so stelle ich mir vor, daß dieser schwarze Mann, der immer zwischen den Spielern hin und her lief und niemals selbst mit dem Ball spielte, sondern im Gegenteil immer mit seiner Trillerpfeife das Spiel unterbrach, ein Spielverderber sei. Meistens ärgerten sich ja auch die Spieler, und sie zeigten das auch, gestikulierten wild herum, schimpften, und Rudi verstand, daß sie mit diesem schwarzen Mann nicht einverstanden waren.

Es war der erste Platzverweis in der Geschichte des deutschen Fußballs gegen ein Maskottchen, wie uns Vater an demselben Abend noch erzählte.

Rudi war für drei Spiele gesperrt worden. Also blieb er an drei Sonntagen im Garten eingeschlossen und verfolgte von dort die Spiele. Alle drei Spiele verlor unser Verein. Wir sagten, das liegt an Rudi. Rudi fehlt, darum hat unsere Mannschaft Pech.

«Unsinn», sagte Vater, «das ist Aberglaube. In der Mannschaft sind zwei Spieler verletzt. Und dem

Torwart ist die Frau weggelaufen. Der denkt immer an seine Frau und greift daneben.»

Beim vierten Spiel war Rudi wieder dabei.

Um das, was dann geschah, zu verstehen, muß man wissen, daß Rudi gleich zu Anfang mit einem Linienrichter einen Zusammenstoß hatte. Rudi saß wie immer am Rand des Spielfelds, als der Linienrichter, der das Spiel beobachtete, über ihn stolperte. Der Linienrichter scheuchte Rudi zurück, ja, er trat sogar nach Rudi. Er hatte ihn nicht richtig getreten, aber Rudi hatte verstanden und fletschte die Zähne.

Wir mußten Rudi etwas kürzer binden. Aber dann kam der Linienrichter wenig später unglücklicherweise erneut in die Nähe von Rudi, hob sein Fähnchen, und das Spiel wurde abgepfiffen. Der Ball war ins Aus gegangen. Wir konnten später alle nur bestätigen, daß der Linienrichter lediglich seine Pflicht getan hatte. Nur Zuppi behauptete steif und fest, der Ball sei gar nicht ins Aus gegangen, Rudi habe das gesehen und sei deshalb auf den Linienrichter losgegangen. Jedenfalls riß Rudi dem Linienrichter, der ahnungslos vor ihm stand, mit einem einzigen Biß die Hose vom Hintern. Das Spiel wurde sofort abgepfiffen. Der Schiedsrichter kam und wollte Rudi vom Platz weisen, aber es gelang Zuppi, den Schiedsrichter davon zu überzeugen, daß Rudi den Mann nicht böswillig, sondern aus Begeisterung angesprungen habe.

«Der Mann sieht dem Bauern ähnlich, bei dem Rudi
einmal im Stall gestanden hat.»
«Gut», sagte der Schiedsrichter, «ich drück nochmal
ein Auge zu.»

Das Spiel ging weiter, aber wenige Minuten darauf, unsere Mannschaft hatte schon wieder ein Tor kassiert und schimpfte über eine Entscheidung des Schiedsrichters, da packte Rudi den Linienrichter, der bei ihm vorbeiging, abermals an der Hose und riß sie ihm, weil der Mann sie diesmal festhielt, sogar in Streifen.

Es war fürchterlich. Das Spiel wurde abgepfiffen.

«Ein tollwütiges Schwein», schrie der Linienrichter immer wieder. Alle, die Spieler, die Zuschauer, die Linienrichter liefen zusammen, schrien durcheinander. Der Schiedsrichter ließ die Polizei holen. Rudi wurde vom Platz geschleppt, in dem Schuppen eingesperrt, und man nahm sogar eine Probe seines Speichels, weil man glaubte, er sei tollwütig.

Das war das Ende von Rudis Laufbahn als Maskottchen.

19. Kapitel

Es war ein harter Schlag, denn wir mußten ja die künstlerische Tätigkeit Rudis nachweisen, um ihn weiter auf dem Sportplatz halten zu können. Der Vereinsvorstand räumte uns eine Frist von einem Monat ein, wegen der sportlichen Verdienste Rudis. Die Herren sagten, es täte ihnen leid, aber das Schwein ohne Erlaubnis zu halten, sei zu gefährlich, denn die Sportplätze würden mehrmals im Jahr vom Bezirksamt kontrolliert. Außerdem konnte der eine oder andere Beamte von dem Vorfall gelesen haben. In der größten Morgenzeitung, dem Revolverblatt, wie Mutter sie nennt, war ein Artikel mit einem riesigen Bild von Rudi erschienen. *Maskottchen auf Lebzeiten disqualifiziert*, stand da und darunter: *Glücksschwein beißt Linienrichter.* Was ja so gar nicht stimmte.

Die Stimmung zu Hause war schon in den vergangenen Tagen nicht gut gewesen. Mutter hatte nämlich in der Schule Ärger. Sie hatte eine neue Klasse bekommen, und darin war ein Junge, der den Unterricht störte, patzige Antworten gab, sie morgens, kam sie in die Klasse, annölte: «Was wollen Sie denn schon wieder hier?» Drehte sich Mutter um, gab er anderen Schülern Kopfnüsse.

Eines Tages waren Mutter die Nerven durchgegangen. Mutter hatte Harald, so hieß der Junge, gefragt, wo der Harz liegt, da hatte er ihr seinen Atlas vor die Füße geworfen und gesagt: »Da!« Sie hatte ihn am Arm gepackt und geschüttelt.

Daraufhin hatte sich Harald nochmals selbst kräftig in den Arm gekniffen, war nach Hause gegangen, hatte den blauen Fleck seinem Vater gezeigt. Der Vater war zum Rektor gelaufen und hatte mit einer Anzeige wegen Kindesmißhandlung gedroht. Mutter mußte zum Rektor, danach zur Schulbehörde, mußte Berichte und Erklärungen schreiben.

Mutter kam an diesem Morgen spät nach Hause, ließ ihre dicke Aktentasche an der Garderobe fallen, setzte sich an den Küchentisch. Sie sah schlecht aus und so, als hätte sie geweint. Vater hatte wieder Nasi Goreng aus der Dose gemacht. Mutter schob den Teller beiseite, sagte: «Das kann Rudi fressen.» Da wurde Vater wütend, kippte den Teller mit dem Nasi Goreng in den Abfall und brüllte: «Ich habe den ganzen Morgen dieses Scheiß-Fußballfeld planiert.»

«Und ich», rief Mutter, «glaubst du, ich hab mich im Freibad gesonnt?»

«Nicht streiten», sagte Zuppi.

Aber da war Mutter schon aufgestanden und aus der Küche gelaufen.

Wir saßen stumm und erschrocken da, denn die Eltern streiten sich nur selten. Endlich sagte Betti zu Vater: «Weißt du, das Nasi Goreng schmeckt ja ganz gut, aber wahrscheinlich war es Mama etwas zu trocken. Du hättest vielleicht noch ein Spiegelei machen sollen.»

Vater wollte etwas sagen, aber dann schluckte er das runter, ging auch aus der Küche, knallte die Tür zu.

«Dicke Luft», sagte Betti, «und ich hab noch nicht mal gesagt, daß ich in Englisch ein ‹ungenügend› geschrieben habe.»

«Sag es lieber morgen», sagte ich. «Vater hat nämlich heute wieder so einen dicken Brief von der Post bekommen. Kam aus der Schweiz. Nicht mal richtige Briefmarken waren auf dem Umschlag, nur ein Markenstempel: *Universität Zürich* stand da drauf.»

Wir alle wußten, wenn Vater einen dicken Briefumschlag zugeschickt bekam, dann bedeutete das eine Absage. Denn in dem Umschlag wurden ihm seine Bewerbungsunterlagen zurückgeschickt.

«Hoffentlich schaffen sie Rudi nicht weg», sagte Zuppi.

Draußen trainierte die B-Mannschaft, die immer besonders laut brüllt.

Mutter lief plötzlich aus dem Haus und rief: «Ruhe. Das ist ja nicht zum Aushalten.» Dann ging sie wieder in ihr Zimmer, wo sie Hefte korrigierte.

Aber die Spieler der B-Mannschaft ließen sich nicht stören, brüllten weiter: «Los, volle Pulle, zieh ab, Mensch, schieß doch, Mann, direkt, los.»

Es war also nicht die beste Stimmung, als wir uns abends zum Familienrat zusammensetzten, um zu besprechen, was wir nun mit Rudi machen sollten. Zuppi hatte es durchgesetzt, daß Rudi bei der

Besprechung dabeiwar. Es war ja eine gefährliche Situation für Rudi, denn Mutter und Vater hatten augenblicklich andere Sorgen und wollten sich jetzt nicht auch noch über Rudis weiteren Verbleib den Kopf zerbrechen. (Darum war Rudis Gegenwart auch wichtig, denn es wurde ja über seine Zukunft entschieden.) Rudi war der einzige Muntere in der Küche. Er saß auf seiner rechten Hinterbacke, grunzte und hatte den Kopf in Zuppis Schoß gelegt. Dann, als wir zu reden anfingen, hörte er aufmerksam zu, legte, weil sein Name immer wieder fiel, den Kopf schräg und stellte die Ohren aufmerksam auf, so als verstehe er, was da über ihn geredet wurde.

Mutter sagte sofort, das Beste sei, Rudi zu einem Bauern zu bringen. Zuppi begann zu weinen. Sie wollte erst nochmal versuchen, Rudi ein paar Kunststücke beizubringen, vielleicht könnte man ja doch noch ein Artistenschwein aus ihm machen.

«Das ist kein Artistenschwein», sagte Vater, «Rudi kann nur eins: Laufen.»

«Und wenn wir ihn einmal zu so einem Schweinerennen bringen?» sagte Betti. Betti hatte im Fernsehen einen Bericht über ein Schweinerennen gesehen.

«Ein Rennschwein dürfte doch sicherlich hier auf dem Sportplatz leben.»

«Das fehlte uns gerade noch», sagte Mutter, «daß wir Rudi von einem Rennen zum anderen fahren müssen. Wo finden die Rennen statt?»

«Ich frage», sagte Betti: «Ich rufe einfach bei einer Zeitung an. Die wissen so was.»

Vater und Mutter blickten zu Rudi, der aufgestanden war, so als müsse er gleich loslaufen.

«Na, gut. Wir versuchen es.»

20. Kapitel

Am nächsten Sonntag fuhren wir nach Otterndorf, wo ein Schweinerennen ausgetragen wurde.

Schon von weitem sah man, wo die Rennstrecke war, denn dort standen viele Mercedes mit Anhängern. Das waren Bauern aus der Umgebung, die mit ihren Schweinen zu dem Rennen gekommen waren. Fahnen wehten an den Masten, Bratwurstbuden standen da und Getränkestände. Viele Leute waren zum Zuschauen gekommen. Rudi, der hinten im Wagen saß, wurde ganz aufgeregt, als er die vielen Schweine sah, die in ihren Boxen standen oder aber in der Nähe der Tribüne angeleint waren.

Die Tribüne bestand aus ein paar Bretterreihen mit Geländern. Die Rennstrecke war ungefähr siebzig Meter lang und hatte zwei Rennbahnen, die durch einen Zaun voneinander getrennt waren. Am Start standen zwei Holzboxen. Diese Boxen waren so schmal, daß sich die Schweine darin nicht umdrehen konnten. Der Moderator brüllte ins Mikrophon: «Und jetzt beginnt der Lauf von Susi Taifun gegen Gullinborsti.»

«Auf die Plätze», rief der Starter durchs Mikrophon. Hinter Susi Taifun stieg ein Mann, hinter Gullinborsti ein Junge in die Holzbox.

«Fertig!»

Da machten der Mann und der Junge ein Heidenspektakel hinter ihren Schweinen, sie feuerten sie zum Laufen an.

«Los!»

Die Luken an den Boxen flogen hoch, beide Schweine schossen heraus und rannten auf ihrer Rennbahn an den Zuschauern vorbei in Richtung Ziel. Die Zuschauer auf den Tribünen riefen: «Schneller, schneller!»

Gullinborsti war eine junge schmale Sau, deren Borsten in der Abendsonne golden leuchteten. Susi Taifun dagegen war eine ausgewachsene Rennsau. Susi Taifun gewann mit großem Abstand. Der Moderator rief durch das Mikrophon: «Bravo für Susi Taifun, sie hat die Strecke in genau einer Minute und sieben Sekunden durchlaufen. Der Besitzer von Susi Taifun bekommt ein von der Volksbank gestiftetes Sparbuch mit 50 Mark drauf. Applaus für den Sieger und seinen Züchter, den Bauern Waldmann!»

Die Leute klatschten, und der Bauer Waldmann führte seine siegreiche Sau vom Platz.

«Rudi muß einfach laufen», sagte Zuppi. «Rudi gewinnt bestimmt.»

«Da muß man aber erstmal fünfzig Mark Startgebühr hinblättern», sagte Vater.

«Aber die kann er doch wieder gewinnen.»

«Wer garantiert das? Soviel Geld. Zehn Mark Eintritt pro Person. Und dann noch fünfzig Mark Startgeld. Wir haben doch keinen Dukatenscheißer zu Hause.»

«Nein, den haben wir nicht», sagte Mutter, «aber

wenn wir schon mal hier sind, dann kann Rudi auch laufen.»

«Für fünfzig Mark!» rief Vater.

«Ja, für fünfzig Mark, selbst verdient, nicht vom Himmel gefallen das Geld.»

«Ich hab schon verstanden», sagte Vater. «Ich bin der kleinliche Spielverderber, nicht, ich bin der Geizige.»

«Unsinn», sagte Mutter, «das habe ich nicht gemeint, das weißt du.»

Mutter wollte Vater die Pfeife aus dem Mund nehmen.

«Komm», sagte sie, «laß uns die Friedenspfeife rauchen.»

Wenn Vater und Mutter sich streiten, was normalerweise wie gesagt recht selten vorkommt und erst in letzter Zeit, seitdem Mutter Probleme mit ihrer Klasse hat, öfter passiert, dann versöhnen sie sich meist schnell wieder, indem Mutter, die ja sonst nicht raucht, einen Zug aus Vaters Pfeife nimmt, und den Rauch dann in die Luft pafft. Danach streiten sie sich nicht mehr.

Aber diesmal nahm Vater die Pfeife aus dem Mund und hielt sie weg: «Nein. Das war einfach unfair von dir, mir dein Gehalt unter die Nase zu reiben.»

«Wie kannst du so was sagen.» Mutter war dem Weinen nahe. «Ich habe dir nicht mein Gehalt vorgehalten. Aber ich kann doch wohl auch noch ein Wort mitreden.»

«Aber warum betonst du dann selbstverdient?»

«Das war doch gar nicht so gemeint.»

«Ihr könnt es uns ja vom Taschengeld abziehen», sagte Zuppi, die bei Streitigkeiten immer vermitteln will.

Aber das hätte sie besser nicht sagen sollen, zwar hörten Vater und Mutter sofort auf zu streiten, dafür gingen sie nun gemeinsam gegen uns vor: «Ja, von wegen», sagte Mutter, «zahlt ihr erstmal eure Schulden. Ihr habt noch 100 Mark bei uns ausstehen.»

«Was?»

«Seht ihr, das habt ihr schon vergessen. Das ist das Geld, das wir bei dem Schweinemäster ausgelegt haben. Erst habt ihr etwas abbezahlt und abgearbeitet, den Rest habt ihr einfach vergessen.»

«Na gut», sagte ich, «das ist ja inzwischen verjährt.»

«Aber Rudi ist noch nicht verjährt», sagte Vater.

«Guckt doch mal», sagte Betti und zeigte auf unser Auto. Rudi preßte die Schnauze an das Heckfenster und beobachtete die Schweine, die zum nächsten Start liefen. Man konnte sehen, wie aufgeregt er war. Der Rüssel war ganz plattgedrückt.

«Also gut», sagte Vater, ließ Mutter von seiner Pfeife rauchen und zog sein Portemonnaie heraus: «Damit das klar ist, die fünfzig Mark zahl ich von meinem Lohn als Platzwart. Niemand soll sagen, ich sei ein Geizhals.»

Mutter blies ihm den Pfeifenrauch ins Gesicht und sagte: «Du bist ein ganz Dummer. Komm.» Sie hakte Vater unter, und dann gingen sie gemeinsam zur Kasse, um das Startgeld zu zahlen. Man merkt es ganz deutlich, es macht Vater Kummer, daß er nicht richtig verdient und nicht in seinem Beruf arbeiten kann. Das ist auch der Grund dafür, wie Mutter sagt, daß Vater immer herumnörgelt, wenn es um Geld geht, obwohl ja Mutter das meiste verdient.

Wir ließen Rudi aus dem Wagen springen. Er galoppierte umher, schnüffelte einige der an Pflöcken festgebundenen Rennschweine an.
Wie brachten wir Rudi, der ja noch nie gelaufen war, dazu, über die ganze Strecke zu laufen? Wir machten folgenden Plan: Ich sollte mit Rudi in die Startbox gehen und ihn beim Start antreiben, Zuppi wollte sich in die Mitte der Tribünen stellen und von dort Rudi anfeuern. Betti, Vater und Mutter stellten sich in der Nähe des Ziels auf.
«Ihr könnt mit dem Schwein sofort an den Start gehen», sagte der Moderator. Und durch das Mikrophon rief er: «Achtung, Achtung, wir haben eine besondere Überraschung, wir haben heute ein Schwein, das zum ersten Mal ein Rennen läuft, ein absoluter Neuling: Rudi Rüssel, und seine Besitzerin hat den Spitznamen Zuppi und ist erst sieben Jahre alt.»
Die Leute klatschten.
«So», sagte der Moderator, «dann können wir beginnen. Rudi Rüssel wird gegen Gullinborsti laufen, die

junge Sau, die gerade verloren hat, ebenfalls noch neu in diesem Gewerbe. Ihr Besitzer heißt Moritz und ist acht Jahre alt. Also, der Nachwuchs, auf in die Startboxen!»

Ich trieb Rudi zu der Holzbox am Start. Neben uns war der Junge hinter Gullinborsti in die andere Box gestiegen. Die Schweine standen jetzt dicht nebeneinander, und Rudi schnüffelte aufgeregt in Richtung Gullinborsti. Gullinborsti schnüffelte ebenfalls. Beide sahen sich über den Rand der Box hinweg an. «Was ist denn da los», rief der Moderator, «ihr sollt um die Wette laufen und euch keine schönen Augen machen.» Er lachte grell ins Mikrophon.

«Also, auf die Plätze!»

Ich stieg in die Startbox.

«Fertig!»

Ich rief: »Los Rudi, renn, was du kannst.»

«Los!»

Die Klappen der Boxen gingen auf, beide Schweine liefen raus, aber nur, um sogleich stehenzubleiben und sich durch das Gitter, das ihre Rennbahnen trennte, zu beschnüffeln. Das war kein Wettkampf. Die Leute lachten, sie lachten über diese Schweine, die, statt zu laufen, schnüffelten. Dann gingen Gullinborsti und Rudi das Gitter entlang, das ihre Rennbahnen voneinander trennte und versuchten immer wieder, die Köpfe zusammenzustecken. Auf der Mitte der Strecke aber entdeckte Rudi Zuppi, die auf der Tribüne stand und als einzige nicht

lachte, sondern immer in Richtung des Ziels zeigte und rief: «Los! Lauf! Lauf!» Rudi blieb stehen, entrollte seinen Ringelschwanz und wedelte. Er freute sich, daß er zwischen all den Menschen Zuppi entdeckt hatte.

Währenddessen wartete auch die Rennsau Gullinborsti. Dann trotteten beide weiter und trafen sich hinter der Ziellinie, wo sie sich erstmal ausgiebig anschnoberten.

Der Moderator lachte dröhnend durchs Mikrophon, und als er sich wieder gefangen hatte, sagte er: «Das sind die beiden letzten Plätze, hart umkämpft, mit der Jahresschlechtzeit von sieben Minuten und dreiunddreißig Sekunden. Beide Schweine bekommen einen Trostpreis, jedes einen Liter Bier, damit sie groß und kräftig werden. Ihre Besitzer, der kleine Moritz und Zuppi, bekommen keinen Bommerlunder, sondern zwei extra große Lollis.»

21. Kapitel

Wir versammelten uns um Rudi.

«Schade um das Geld», sagte Vater.

«Naja», sagte Zuppi, «woher sollte er auch wissen, daß er schnell laufen sollte. Wenn man am Ziel einen Schiedsrichter hinstellen würde, dann würde er bestimmt losrasen.» Sie sah Vater prüfend an. «Könntest du nicht einfach kurze schwarze Hosen anziehen?»

«Jetzt reicht's», sagte Vater.

Der Moderator kam angelaufen: «Ihr Schwein muß unbedingt nochmals laufen. Das Schwein ist ein Kassenschlager.»

«Das fehlte gerade noch», sagte Vater, «wir tragen hier zur Unterhaltung der Zuschauer bei und müssen auch noch dafür zahlen.»

«Nein», sagte der Moderator, «Sie müssen selbstverständlich kein Startgeld zahlen. Aber geben Sie dem Tier doch noch eine Chance. Das Schwein ist wunderbar. Wir könnten es immer zwischen den Rennen auftreten lassen, als Unterhaltungseinlage.»

«Hören Sie mal», sagte Betti, «Sie glauben wohl nicht, daß unser Schwein auch schnell laufen kann?»

«Egal, egal», sagte der Mann, «Hauptsache, es tritt nochmals an.»

Und so kam es dann zum zweiten Lauf. Diesmal gegen die erfahrene Rennsau Susi Taifun. Wir hatten uns überlegt, wie wir Rudi dazu bringen könnten, nun auch wirklich schnell zu laufen. Mutter schlug vor, ich sollte wieder den Start überwachen.

Zuppi sollte sich hinter die Ziellinie setzen, und Betti, Vater und sie sollten sich entlang der Rennstrecke auf der Tribüne verteilen, um von dort Rudi anzufeuern.

Der Start klappte auch vorzüglich. Rudi rannte los, so daß die Zuschauer, die eben noch im Sprechchor mit dem Moderator riefen: «Rudi Rüsseln, laß das Schnüffeln», was ja sehr bescheuert war, verstummten. Rudi führte ganz klar, aber dann, verflixt, blieb er plötzlich stehen, schnappte sich ein Wienerwürstchen, das jemandem von der Tribüne heruntergefallen war und fraß es auf. Sofort begannen die Leute wieder zu lachen, und der Moderator machte seine dämlichen Witze: «Seht da, das kleine, gierige Schwein, da frißt es, was es am Wegesrand findet, aber es muß ja auch noch wachsen.»

Inzwischen war Susi Taifun weitergerannt und in Führung. Vater brüllte von der Tribüne: «Los lauf, Rudi, da aufs Tor, aufs Tor, Rudi vor, noch ein Tor!»

Die Leute starrten Vater an, als habe er den Verstand verloren. Man war doch auf einem Schweinerennen und nicht auf dem Fußballfeld, hatte der Mann sich verirrt? Sie konnten ja nicht wissen, daß der Fußballtrainer seine Spieler so angefeuert hatte, und tatsächlich: Rudi startete durch und raste los und lief und schaffte es doch noch, um eine Schnauzenlänge vor Susi Taifun über die Ziellinie zu kommen. Er wurde Sieger.

«Donnerwetter», rief der Moderator, «wer hätte gedacht, daß dieser kleine Witzbold so schnell laufen kann. Und dann nimmt er zwischendurch noch ein kleines Frühstück ein, hahaha. Als Sieger bekommt Rudi drei Kackwürste, nein, Knackwürste, hahaha, und die Besitzerin bekommt dreißig Mark. Applaus, meine Damen und Herren! Applaus!»

Zuppi holte sich die dreißig Mark ab, während wir die Würstchen an Rudi verfütterten, der ja tatsächlich seit heute morgen nichts gegessen hatte.

Da kam der Vater von Moritz, dem Besitzer von Gullinborsti. Er sagte, er heiße Hinrichsen, sei Bauer und wolle uns Rudi für 500 Mark abkaufen. Er sei nämlich dabei, eine Rennschweinezucht aufzubauen, das heißt nicht er, sondern seine kleinen Söhne Moritz und Malte.

Zuppi sagte: «Rudi, den verkaufen wir nicht.»

Hinrichsen, der einen struppigen Schnurrbart hatte und recht ungekämmt aussah, sagte: «1000 Mark.»

«Meine Güte», sagte Vater, «ich habe gar nicht geahnt, wie wertvoll das Schwein ist.»

Natürlich fiel uns gleich auf, daß er plötzlich wieder Schwein sagte und nicht Rudi.

«Nein», sagte Zuppi.

«Überleg dir das», sagte Vater, «1000 Mark. Und wir wären das Problem mit der Unterbringung los.»

«Du würdest also Rudi einfach für ein paar Geldscheine hergeben?» sagte Zuppi und war dem Weinen nahe.

116

«Nein, natürlich nicht jedem, aber Herrn Hinrichsen und seinen beiden netten Kindern hier, da hätte Rudi es bestimmt gut.»

«Ich will Rudi nicht verkaufen. Wollt ihr ihn verkaufen?» fragte Zuppi uns.

Natürlich wollten wir ihn nicht verkaufen, weder Betti noch ich, auch nicht für 1000 Mark.

Auch Mutter nicht, denn sie sagte: «Wir wollen nicht weiter darüber reden. Das muß ja auch nicht heute entschieden werden. Jetzt fahren wir nach Hause. Herrn Hinrichsen werden wir mit seinen Söhnen bestimmt noch mal sehen, und Rudi auch Gullinborsti.»

Die standen noch immer beisammen und drängten sich aneinander. Und da man ja die Stimmung der Schweine an den Ohren ablesen kann, muß ich die Ohren noch etwas genauer beschreiben. Rudis Ohren waren ein wenig nach vorn gezogen, wobei sich die Ohrzipfel nach oben bogen, was ich noch nie an ihm beobachtet hatte, und Gullinborsti fielen die Ohren in einer leichten Welle über die Augen.

Im Auto sagte Zuppi: «Rudi wird ein Wahnsinns-Rennschwein. Jetzt hat er schon dreißig Mark verdient.»

«Na ja», sagte Vater, «ich habe aber auch fünfzig Mark Startgeld zahlen müssen. Bleiben noch zwanzig Mark.»

«Die holt er auch noch», sagte Zuppi und kraulte Rudi das Ohr.

22. Kapitel

Schon am folgenden Sonntag fuhren wir wieder zu einem Schweinerennen, das diesmal in Mölln abgehalten wurde. Wir trafen dort auch den Bauern Hinrichsen mit seinen Söhnen Moritz und Malte. Und sogleich tobte Rudi mit Gullinborsti herum.

«Ich glaube», sagte Mutter, «am besten setzen wir Gullinborsti hinter die Ziellinie. Dann wird Rudi bestimmt wie ein Bürstenbinder laufen.»

Bauer Hinrichsen beobachtete Rudi und Gullinborsti, die vergnügt miteinander spielten und herumjagten.

«Ein toller Läufer», sagte Bauer Hinrichsen. «Der hat gute Chancen, heute Erster zu werden.»

Rudi mußte sechsmal laufen, und tatsächlich gewann er jedes Rennen. Er lief die besten Zeiten. Die Leute sprachen schon von einem neuen Favoriten.

«Leider fehlt heute ja das schnellste aller Schweine, der Eber Klabautermann, ein sagenhaftes Rennschwein», sagte Bauer Hinrichsen. «Der Eber hat nämlich schon viermal das Blaue Band von Egesdorf gewonnen.»

Und Gullinborsti? Sonderbarerweise schien die keine Lust zum Laufen zu haben. Sie wollte einfach nicht in die Startbox gehen. Und dann, als sie doch lief, trottete sie gemächlich über die Rennstrecke.

«Was hat die bloß im Kopf?» fragte Moritz.

In den Pausen zwischen den einzelnen Rennen saßen wir Kinder zusammen. Moritz konnte unglaublich gut das Quieken der Schweine nachahmen, und er öffnete uns das Ohr für den feinen Unterschied zwischen dem deutschen und dem dänischen Landschweingrunzen. Vorher hatte für uns jedes Schweinegrunzen gleich geklungen.

Malte konnte über alle Schweinerassen, einschließ-
lich der Flußschweine und der Riesenwaldschweine,
etwas erzählen, zum Beispiel von dem Bisam-
schwein, das in Südamerika lebt und wie ein Welt-
meister schwimmen kann.

«Das wäre was, wenn man Schweinewettkämpfe im
Schwimmen abhalten würde, hier gibt es doch überall Schwimmbäder», sagte Malte, «man müßte nur
ein paar Bisamschweine aus Südamerika ein-
führen.»

Malte konnte sich am meisten darüber erregen, daß
das halbrote bayerische Schwein ausgestorben war,
und zwar erst vor dreißig Jahren.

«Das wäre eine tolle Rennrasse gewesen», sagte
Malte. «Die Tiere waren behaart, die hintere Kör-
perhälfte war rot, die Ohren groß und schwer und
standen nach vorn, und sie müssen tierisch schnell
gewesen sein. Zu schade, daß man sie hat aussterben
lassen. Das wäre was, wenn wir jetzt wieder eine
halbrote bayerische Schweinezucht aufziehen könnten. Stellt euch vor: halbrote Rennschweine. Man
könnte sie Roter Baron oder Roter Blitz nennen.
Aber vielleicht gibt es ja doch noch auf irgendeinem
Bauernhof in Bayern ein Pärchen.»

Und dann versuchte Malte, mich zu überreden, in
den nächsten Sommerferien mit ihm zusammen eine
Fahrradtour durch Bayern zu machen.

Wir wußten natürlich lange nicht so viel über die
Schweinezucht und die verschiedenen Rassen, dafür

konnten wir von dem Schwein erzählen, das im alten Ägypten als Himmelsgöttin Nut verehrt wurde.

«Was denn», sagte Moritz, «ein Schwein als Göttin? Ist das wahr?»

Vater, der zufällig vorbeikam, erzählte sofort von dem Grabbild von Saft-El-Henneh aus der 30. Dynastie, dieses Grabbild zeigt nämlich ein Schwein. Vater war wieder mal nicht zu bremsen. Denn was konnte Malte und Moritz schon die 30. Dynastie vor dreitausend Jahren in Ägypten interessieren?

Rudi wurde übrigens, wie es Bauer Hinrichsen vorausgesagt hatte, tatsächlich an dem Tag der Sieger von Mölln.

Zuppi bekam von den Veranstaltern eine Urkunde und 150 Mark. Wir Kinder konnten damit bei Vater und Mutter unsere Schulden bezahlen. Und was noch wichtiger war, mit der Siegerurkunde konnten wir nachweisen, daß Rudi einer künstlerischen Tätigkeit nachging, genauer, er war eine Art Spitzensportler geworden, und damit gehörte er ganz selbstverständlich auf einen Sportplatz.

Glücklicherweise sahen das sowohl der Vorstand des Vereins als auch das Bezirksamt so.

23. Kapitel

Wochentags, wenn auf dem Sportplatz nicht trainiert wurde, ließen wir Rudi laufen. 100 Meter hin, 100 Meter zurück. Wir stoppten die Zeiten, und wenn er besonders schnell gelaufen war, bekam er ein Wiener Würstchen zur Belohnung. Vor allem übten wir den schnellen Start. Da wir keine Startbox hatten, nahmen wir ein großes Stück Pappe und hielten es wie die Startklappe Rudi vor die Nase. Die Rennschweine mußten ja, wenn die Klappe hochging, möglichst schnell loslaufen, darum machten ihre Besitzer hinter ihnen ein Mordsspektakel. Das war, nachdem wir es mit Rudi mehrmals geübt hatten, nicht mehr nötig. Er wußte, wenn wir die Pappe plötzlich hochhoben, mußte er losrennen, und er tat es dann auch.

Vater mußte danach immer die Spuren von Rudi auf dem Sportplatz verwischen. Er bestieg seinen kleinen Traktor, an den er die Planierwalze anhängte, und fuhr damit über die Strecke, die Rudi gelaufen war. Denn es ist erstaunlich, wie tief die Spuren sind, die ein schnell laufendes Schwein mit seinen Klauen hinterläßt.

Vater hatte übrigens auch noch ein eigenes Trainingsprogramm für Rudi entwickelt, den sogenannten Torlauf. Rudi sollte ja bis zuletzt im schnellsten Tempo über die Ziellinie laufen. Bei einigen dieser Schweinerennen waren hinter dem Ziel Fangnetze aufgestellt, damit die Rennschweine nicht in die Zuschauer rannten. Unerfahrene Schweine bremsten noch vor der Ziellinie ab und verloren so kostbare Sekunden. Vater ließ also jeden Mittwoch und Sonntag, wenn die Amateure gespielt hatten, die Tornetze an den Pfosten. Er stellte sich mit Zuppi hinter dem Tor auf, ich hielt Rudi fest, und auf den Ruf: «Rudi vor», rannte Rudi los, in Richtung des Tors. Die ersten Male bremste er jedesmal vor der Linie ab, dann aber, als wir ihn anfeuerten, «Rudi vor, noch ein Tor», schoß er in das Tor und in das Netz, das ihn weich auffing.

Das schien ihm Spaß zu machen, denn Rudi war immer ganz aufgeregt, wenn er die Netze an den Toren sah und rannte dann sofort hinein.

«Hätt ich nie gedacht», brummelte Vater eines Tages, «daß ich mal Rennschweintrainer würde.»

Mutter interessierte das Wettrennen kaum. Sie hatte noch immer Probleme mit ihrer Klasse, insbesondere mit diesem Harald. Sie war abermals in die Schulbehörde bestellt worden, zu einer Aussprache mit Herrn Grebe, dem Vater von Harald. Nachmittags kam sie immer ganz erschöpft und mit einer schlechten Laune nach Hause. Einmal hörte ich, wie sie zu ihrer Freundin Elke, mit der sie in der Küche Kaffee trank, sagte: «Am liebsten würde ich mich beurlauben lassen, drei Jahre, einfach um wieder Kraft zu sammeln.»

Natürlich ging das nicht. Vater verdiente als Platzwart ganz wenig Geld, und für seine Hieroglyphen-

Übersetzungen bekam er nichts. Im Gegenteil, manchmal mußte er sogar noch etwas für den Druck zuzahlen.

An einem Dienstag mußte Mutter in die Schulbehörde zu dem Gespräch gehen, von dem es abhing, ob Herr Grebe Anzeige wegen Kindesmißhandlung erstatten würde. Wir wollten sie alle zu der Behörde begleiten. Zuppi bestand darauf, auch Rudi mitzunehmen. «Rudi ist ein Glücksschwein.»

Mutter wollte erst nicht. Es war ihr wohl doch etwas

peinlich, mit dem Schwein durch die Stadt zur Schulbehörde zu laufen. Vater hingegen, dem sonst ja alles mögliche peinlich ist, sagte: «Ist doch piepegal. Die Leute sollen denken, was sie wollen.»

Wir parkten das Auto und gingen zu fünft, Rudi an der Spitze, zur Schulbehörde. Wo wir entlangkamen, blieben die Leute stehen. Aber das waren wir ja schon gewohnt.

«Vielleicht rieche ich nach Schwein, wenn ich zu dem Schulrat ins Zimmer komme.»

«Unsinn», sagte Vater, «Rudi riecht nach Stroh, nicht nach Mist.»

Zuppi wollte Mutter sogar bis zu dem Zimmer des Schulrats begleiten. «Rudi ist doch noch nie Paternoster gefahren.»

«Nein», sagte Mutter, «ihr geht auf keinen Fall mit Rudi in die Behörde. Das müßt ihr mir versprechen.» Dann verstummte sie und starrte einen Mann an, der mit einem Jungen zum Eingang der Behörde ging. Auch der Mann hatte Mutter entdeckt, wollte weitergehen, sah Rudi, stockte.

«Das ist Herr Grebe», sagte Mutter, «und das ist Harald.»

Herr Grebe kam herüber und sagte: «Ach, Sie haben ein Schwein? Ein deutsches Landschwein. Ich hab nämlich eine Schlachterei. Früher hatte man nur diese Tiere, schlank, gesund und munter. Dagegen heute, diese mit Hormonen gemästeten Tiere. Entsprechend schmeckt das Fleisch. Los», fuhr er seinen

125

Sohn an, «gib gefälligst die Hand.» Herr Grebe gab Harald eine kleine Kopfnuß.

Mutter ging mit Herrn Grebe und Harald in die Behörde.

«Kein Wunder», sagte Vater, «daß Harald immer stört und seinen Kameraden Kopfnüsse gibt.»

«Aber so unfreundlich war Herr Grebe gar nicht», sagte Betti, «nur etwas ruppig.»

Wir gingen in das Café, in dem wir uns mit Mutter treffen wollten. Gleich am Eingang hielt uns eine Bedienung auf.

«Ein Schwein», sagte sie, «hier darf kein Schwein rein.»

Vater wollte wieder rausgehen, aber Betti sagte: «Wieso, da sind doch auch Hunde im Café. Die sollen uns reinlassen.»

«Da muß ich erst den Geschäftsführer fragen.»

Rudi stand vor der Vitrine mit all den Torten und gierte hinein. Vater mußte ihn an der Leine zurückhalten, sonst hätte er mit seinem Rüssel die Vitrine verschmiert.

Der Geschäftsführer kam und sagte: «Nein. Ein Schwein, nein, unmöglich, tut mir leid.»

«Aber es ist ein berühmtes Rennschwein», sagte Betti, «und frisch geduscht.»

Der Mann betrachtete Rudi genau.

«Und es ist auch ganz ruhig.»

«Na gut», sagte der Geschäftsführer, «ich habe nämlich einen Sohn, der eine Zwergziege hat. Wenn

Sie sich an einen Ecktisch setzen und mir versprechen, daß das Schwein nicht im Café herumstöbert.»
Wir bekamen einen Tisch neben der Toilettentür
zugewiesen. Rudi lag still am Boden, schlürfte etwas
Limonade aus einem Aschenbecher. Wir tranken
auch Limo und aßen Kuchen dazu.
Mutter kam bald, und man sah ihr an, daß sie
erleichtert war. Das Gespräch war nur kurz und
freundlich gewesen, erzählte sie. Von einer Anzeige
war nicht mehr die Rede. Herr Grebe hatte von den
Koteletts und Schweinshaxen gesunder Lauf-
schweine geredet.
Mutter lachte: «Der Schulrat war natürlich etwas
überrascht, als er hörte, daß wir ein Schwein
halten.«
«Und Harald?»
«Der bleibt in der Klasse. Und wird natürlich
weiterstören, weil er gar nicht anders kann als stören.
Aber ich glaube, er hat sich doch etwas geschämt. Herr
Grebe hat nämlich gesagt, ich soll ihn einfach anrufen,
wenn Harald stört, dann verpaßt er ihm eine Tracht
Prügel. Er dulde nur eines nicht, wenn andere Leute
Harald prügeln. Ich habe ihm gesagt, daß ich nicht
will, daß Harald geprügelt wird, weil das nicht hilft.
Man muß mit Harald reden. Gut, machen Sie mal, hat
Herr Grebe gesagt, wenn Sie glauben, daß es nützt.
Später hat Harald mir die Hand gegeben und danke
gesagt. Immerhin.»
«Der arme Harald», sagte Betti.

24. Kapitel

Drei Wochen bereiteten wir Rudi auf das wichtigste Rennen vor, auf das Blaue Band von Egesdorf.

«Egesdorf», hatte Bauer Hinrichsen gesagt, «ist für die Rennschweine das, was Wimbledon für die Tennisspieler ist.»

In Egesdorf sollte Rudi auch auf den Favoriten stoßen, den Renneber Klabautermann. Das mußte ein ganz ungewöhnlich aggressives, wildes Schwein sein, dunkel in der Hautfarbe. Malte behauptete, Klabautermann sei eine Kreuzung zwischen einem deutschen Hausschwein und einem Wildschwein.

Viermal hatte Klabautermann schon das Blaue Band von Egesdorf geholt, und jetzt, auf dem letzten Rennen in diesem Jahr, sollte er es nochmals erlaufen. Das wollte jedenfalls Herr Nieß, der Besitzer von Klabautermann und einer großen Wurstfabrik. Wir alle fieberten dem Sonntag im Oktober entgegen, als das Rennen um das Blaue Band von Egesdorf ausgetragen wurde.

Rudi war auf vier anderen Rennen gelaufen und war dreimal erster und einmal zweiter geworden. Insgesamt fünfhundert Mark hatte Rudi inzwischen an Prämien erlaufen. Zuppi wollte davon einen kleinen zweirädrigen Anhänger kaufen, in dem wir Rudi zu den Rennen fahren konnten. Denn die Ladefläche in unserem Kombi war zu unbequem für Rudi, da er nicht stehen konnte. Und beim Liegen schliefen ihm manchmal die Beine ein, so daß er sich vor jedem Rennen erst mühsam wieder einlaufen mußte.

Dann kam der Sonntag, an dem das Blaue Band ausgetragen wurde. Rudi bekam morgens eine kleine Schüssel mit Haferflockenbrei. Er sollte etwas, aber nicht zuviel fressen. Dann haben wir ihn nochmals warm geduscht, um seinen Kreislauf anzuregen, was Vater empfahl, aber auch, um zu verhindern, daß es im Auto nach Schwein riecht, wie Mutter befürchtete. Vater hingegen fand, daß Rudi ausgesprochen gut roch, nach – und Vater schnüffelte an Rudis Ohren, «nach Heu».

«Nein», sagte Mutter, «er riecht nach Mist. Außerdem liegt er auf Stroh und nicht auf Heu.»

«Entschuldige», antwortete Vater, «das ist Heu und Stroh, und zwar frisches.»

«Wir müssen fahren», sagte Zuppi schnell, bevor sich Vater und Mutter zu streiten anfingen, «sonst kommen wir noch zu spät.»

In Egesdorf war ein enormer Betrieb. Aus den entferntesten Gegenden, sogar aus Dänemark und Holland waren die Leute mit ihren Rennschweinen gekommen. Jeweils vier Tiere sollten um die Wette laufen. Der Sieger kam in die nächste Runde. Dann wurden die Zeiten von dem ersten und dem zweiten Lauf addiert, und die schnellsten vier Schweine liefen schließlich im Finale gegeneinander. Der Sieger aus diesem Lauf war der Gewinner des Blauen Bandes.

Neben der Rennbahn war ein Festzelt aufgeschlagen worden. Dort spielte eine Blaskapelle. Man konnte

Würstchen essen und Bier und Limonade trinken. Es gab einen Schießstand und Buden, wo man Zuckerwatte und Liebesäpfel kaufen konnte.

Rudi war in bester Laune, er war springlebendig, wie er zwischen all den Schweinen, die angeleint oder in ihren Boxen standen, hindurchlief. Rudi durfte als einziges Schwein frei herumlaufen. Man konnte sich auf ihn verlassen. Er verlief sich so schnell nicht und rannte auch nicht einfach auf die Straße, denn im Gegensatz zu all den anderen hier versammelten Schweinen war Rudi ein Stadtschwein. Er kannte sich in diesem Gewühle aus, er war ja oft genug mit uns durch belebte Straßen gegangen, war S-Bahn und U-Bahn gefahren. Rudi war, wie Vater sagte, ein weltläufiges Schwein.

Der Moderator verkündete, daß im ersten Lauf der große Favorit Klabautermann laufen werde. Und daß man sich freue auf den Kampf zwischen den beiden großen Gegnern, dem alten Renneber Klabautermann, dem viermaligen Sieger von Egesdorf, und dem schnellen Neuling Rudi Rüssel. Wir gingen auf die Tribüne, wo schon Bauer Hinrichsen mit Malte und Moritz saß, um den Lauf zu beobachten. Die vier Rennbahnen der Schweine waren in Egesdorf durch Netze getrennt, und zwar nahm man beim Rennen um das Blaue Band Netze, damit sich die Schweine, kamen sie einmal von ihrer Bahn ab, nicht verletzten. So groß waren die Geschwindigkeiten, die hier gelaufen wurden.

Auf das Kommando «Los» kamen drei Schweine aus ihren Startboxen, das vierte aber schoß wie ein schwarzer Blitz aus seiner Box – das war Klabautermann. Es war ein dunkles, stark behaartes Schwein. So ein Schwein hatte ich noch nie gesehen, es ähnelte tatsächlich einem Wildschwein.

Malte konnte dann auch gleich sagen, zu welcher Rasse es gehört: «Eins der seltenen unveredelten hannoversch-braunschweigischen Landschweine.»

Klabautermann raste über die Rennstrecke, und man sah deutlich, daß er die ganze Strecke über die Zähne fletschte, so als verfolge er einen Gegner.

«Meine Güte», sagte Vater, «dem Vieh möchte ich ja nicht im Wald begegnen.»

Als danach über Lautsprecher das erste Rennen für Rudi angesagt wurde, da pfiff Mutter auf zwei Fingern. Rudi kam sofort.

Er hatte einen phantastischen Start und gewann mit einem riesigen Abstand. Nach dem Lauf keuchte er ein wenig, aber er hatte sich bei weitem nicht so verausgabt wie die anderen drei Schweine, die erschöpft hinter der Ziellinie zusammensackten und dort wie Mehlsäcke liegenblieben. Rudi war eine phantastische Zeit gelaufen, schneller als Klabautermann. Die Leute klatschten und gratulierten uns. Und viele sagten, der Rudi schafft es, der wird das Blaue Band holen.

Vater, der etwas abergläubisch ist, was vielleicht mit seinem Beruf zusammenhängt, da die alten Ägypter ja ständig irgendwelche heilige Affen und Vögel befragten, klopfte jedesmal dreimal auf Holz.

Da kam plötzlich ein älterer Mann mit Klabautermann zu uns. Er hatte Schnürstiefel an den Füßen und führte das Schwein an einem langen, geflochteten Lederriemen.

Mit einem schiefen Grinsen sagte er: «Mein Name ist Nieß. Ich gratuliere. Ihr Schwein ist sehr schnell gelaufen, schneller als mein Klabautermann. Aber wir haben ja noch drei Rennen, da kann sich noch einiges ändern.» Er grinste wieder schief, dann fragte er: «Trinkt Ihr Schwein auch so gern Bier? Sehen Sie mal, wie mein Klabautermann nach dem Bier giert?»

Tatsächlich zog Klabautermann hechelnd zu den halbleeren Biergläsern, die auf einem Holztisch standen.

«Nein», sagte Zuppi, «um Bier kümmert Rudi sich nicht, aber er hat uns mal alle Likörkringel vom Weihnachtsbaum gefressen.»

«Hahaha», lachte Herr Nieß, «das ist hübsch. Da feiern Sie also mit Ihrem Schwein zusammen Weihnachten.»

Vater war das natürlich wieder peinlich, und er betonte sofort: «Das war eine Ausnahme.»

«Nett, wirklich nett», sagte Herr Nieß, und dabei beobachtete er tückisch Rudi, der gerade Gullinborsti entdeckt hatte, die angeleint neben dem Festzelt stand.

«Na, dann mal Hals- und Beinbruch für Ihr Schwein», sagte er und grinste wieder schief.

«Das ist ein ekelhafter Typ», sagte Betti. «Hast du gehört, wie der Hals- und Beinbruch gesagt hat? Dem trau ich alles zu. Der hat doch eine Wurstfabrik. Wenn der nun Rudi einfängt?»

«Hör auf», sagte Mutter, «dafür, daß er so schief grinst, kann er ja nichts, darum muß man ihm nicht gleich das Schlimmste unterstellen.»

«Kommt», sagte Vater, «ich geb erstmal eine Lage Limo aus.»

25. Kapitel

Wir saßen noch an unserer Limonade, als über Lautsprecher der zweite Lauf von Rudi aufgerufen wurde. Das war ja schnell gegangen. Wir hörten die Stimme: «Im nächsten Rennen, liebe Schweinefreunde, haben wir wieder einen besonderen Leckerbissen, da läuft Rudi Rüssel, der Herausforderer von Klabautermann. Rudi Rüssel, bitte zum Start kommen.»

«Der Mann hat doch einen weichen Keks«, sagte Betti, «als ob Rudi das verstehen könnte.»

Mutter pfiff. Rudi kam nicht. Sie pfiff nochmals. Von allen Tischen blickten sie herüber. Vater war das wieder peinlich.

«Laß doch das Pfeifen», sagte er. «Ich hole ihn.»

Wir gingen dann alle. Wir suchten Rudi. Wir liefen überall herum, auch Bauer Hinrichsen, der ganz struwwelig aussah, weil er sich wieder mal morgens nicht gekämmt hatte, half mit seinen beiden Söhnen. Aber Rudi war nicht zu finden. Er war auch nicht bei Gullinborsti.

«Vielleicht hat ihn dieser Herr Nieß entführt», sagte Zuppi.

«Unsinn», sagte Vater, «aber sonderbar ist es doch, daß er nicht kommt.»

«Guckt mal», sagte Betti, «wie Gullinborsti an ihrer Leine zerrt. Wir können ihn doch von Gullinborsti suchen lassen.»

Das war eine gute Idee. Moritz machte die Leine los, und Gullinborsti führte uns hinter das Festzelt.

Dort saß Rudi auf seinen Schinken.

Zuppi rief: «Rudi!»

Da stand Rudi auf, setzte sich aber sofort wieder.

«Was hat er denn? Ist er krank?»

Rudi stand wieder auf. Er ging, nein, er torkelte, er stolperte. Rudi war nicht krank. Rudi war betrunken. Er leckte sich die Schnauze. Die war ganz verklebt. Und dann entdeckte Betti die Schüssel und daneben zwei leere Flaschen Eierlikör. In diesem Moment kam Herr Nieß vorbei.

«Ach herrjeh», sagte er, «ich denke, er trinkt kein Bier.»

«Das war kein Bier, das war Eierlikör. Das wissen Sie ganz genau.»

«Wieso, ich habe noch nie mit einem Schwein unter dem Weihnachtsbaum auf du und du getrunken.»

«Jetzt reicht's», sagte Vater und wurde richtig wütend, «passen Sie mal auf, daß wir Ihren Klabautermann nicht zu Wurst verarbeiten.»

«Haha», sagte Herr Nieß, aber das Grinsen war ihm doch vergangen, «haha. Der ist viel zu zäh. Na, denn mal Prost.» Er ging weg.

«So ein gemeiner Kerl», sagte Zuppi, «deshalb hat er gefragt, ob Rudi Bier trinkt. Und ich hab ihm das mit dem Likör erzählt. Jetzt kann Rudi nicht laufen.»

«Er muß laufen», sagte Bauer Hinrichsen, «sonst wird er disqualifiziert. Dann scheidet er ganz aus. Er muß über die Strecke kommen, egal wie.»

Da wurde Rudi schon wieder aufgerufen. »Rudi
Rüssel, bitte sofort zum Start.‹

Rudi aber hatte sich inzwischen hingelegt und den
Rüssel auf die gekreuzten Pfoten gelegt. Müde blin-
zelte er uns an.

«Los», sagte Mutter, «wir müssen ihm eine Tasse
Kaffee geben, sonst schläft er in der Startbox ein.
Und viel Zucker, damit er den Kaffee auch trinkt.»

Ich lief ins Festzelt, kaufte ein Kännchen Kaffee und
nahm soviele Zuckerstücke mit, daß die Bedienung
den Kopf schüttelte.

Mutter goß den Kaffee in eine Tasse, tat den Zucker dazu, rührte ordentlich um, damit der Kaffee auch kalt wurde und hielt die Tasse Rudi hin. Der war inzwischen eingenickt. Wir mußten ihn regelrecht wachrütteln. Er schlappte den Zuckerkaffee aus und wurde auch langsam wieder munterer.

«Noch eine Tasse Kaffee?» fragte ich.

«Besser nicht», sagte Mutter, «sonst kriegt er einen Herzschlag.»

Wir schoben Rudi zum Start und dort in die Startbox.

«Achtung», rief der Moderator durchs Mikrophon, «jetzt startet das Schwein, das bislang die beste Tageszeit gelaufen ist. Unser Rudi Rüssel!»

Bei «Los» liefen drei Schweine aus den Startboxen, aus der vierten torkelte Rudi. Er lief in einem Zickzackkurs über seine Rennbahn, streifte immer wieder die Netze, die seine Bahn begrenzten, ließ sich einen Moment auf seine Hinterbacken nieder, erhob sich mühsam und torkelte weiter.

Die Leute, die anfangs ganz gespannt gewartet hatten, begannen zu lachen und zu johlen. Im ersten Lauf hatten sie Rudi noch mit unserem Schlachtruf angefeuert: «Rudi vor, noch ein Tor», jetzt stimmten sie in einen Ruf ein, den der Moderator ins Mikrophon brüllte: «Der Rudi säuft zu viel, darum kommt er nie ins Ziel.»

Zum Glück konnte Rudi das alles nicht verstehen, aber vielleicht spürte er doch diese Stimmung, die plötzlich feindselig geworden war und sich gegen ihn richtete.

Er torkelte als letztes Schwein, weit abgeschlagen, durchs Ziel. Hinter der Ziellinie sackte er zusammen.

«Rudi vor dem Schläfchen, noch ein Gläschen», rief der Moderator ins Mikrophon.

«Blödmann», sagte Betti.

Zuppi weinte vor Wut und Enttäuschung. Vater und Mutter blickten trotzig drein.

«So», brüllte der Witzbold von einem Moderator ins Mikrophon, «das war das vorzeitige Ende eines großen Talents. Und wie immer war der Alkohol im Spiel. Rudi laß das Saufen sein, sonst wirst du noch ein lahmes Schwein. Hahaha. Jetzt tritt als nächstes an, Susi Taifun, schafft sie es, das Blaue Band dem Favoriten Klabautermann noch zu entreißen?»

26. Kapitel

Nach dem Lauf schafften wir den torkelnden Rudi in den Anhänger von Bauer Hinrichsen.

«Rudi muß erstmal seinen Rausch ausschlafen, der letzte Lauf ist ja erst am Nachmittag», sagte Bauer Hinrichsen und erzählte, er habe einmal alle seine Schweine betrunken gefunden, weil sie die angegorenen Pflaumen auf der Wiese gefressen hatten. Alles hängt davon ab, welche Zeit Klabautermann im zweiten Lauf läuft. Wenn er glatt durchläuft, kann ihn kein Schwein mehr schlagen. Dann ist der Vorsprung zu groß. Aber jetzt wollen wir uns erstmal den Lauf von Klabautermann ansehen. Wo steckt denn Moritz?»

Moritz war verschwunden. Vielleicht war er ja schon zur Tribüne gegangen. Denn es wurde eben der zweite Lauf von Klabautermann angesagt. Wir kamen gerade noch rechtzeitig. Die Luken der Startboxen gingen auf, und wieder schoß Klabautermann aus seiner Startbox heraus und raste über seine Bahn. Da gab es keinen Zweifel mehr, daß dort unten der Sieger des heutigen Rennens lief. Aber in dem Moment hörten wir von der Tribüne ein Quieken, das Quieken einer unveredelten hannoversch-braunschweigischen Landsau, die nach dem Eber ruft. Klabautermann stutzte mitten im Lauf, rannte aber weiter, mit seitwärts gewandtem Kopf, weil er nach der Sau auf der Tribüne Ausschau hielt, kam vom Kurs ab und rannte in voller Geschwindigkeit in das Netz, das seine Rennstrecke von der der anderen

Schweine trennte. Er kugelte regelrecht ins Netz, verstrickte sich, strampelte und lag plötzlich da wie ein riesiger, in einem Netz gefangener Karpfen. Herr Nieß stand am Rand der Tribüne und tobte. «Sabotage», schrie er.

Langsam wühlte sich Klabautermann wieder aus dem Netz und rannte weiter, da waren die anderen drei Schweine, die mit ihm gelaufen waren, schon längst durchs Ziel gegangen.

Klabautermann erreichte das Ziel mit einer ähnlich schlechten Zeit wie Rudi.

Natürlich protestierte Herr Nieß sofort. Zornrot stürmte er zu der Rennleitung und sagte, sein Renn-Eber sei durch eine brünstige Sau auf der Tribüne behindert worden. Da aber Schweine nicht auf die Zuschauertribüne dürften, sei der Lauf ungültig und müsse wiederholt werden.

Niemand hatte eine Sau auf der Tribüne gesehen.

«Dann muß ein Zuschauer gequiekt haben. Und zwar so täuschend ähnlich, daß Klabautermann ihn für eine Sau gehalten hat.»

Aber das Quieken von Zuschauern war nicht verboten. Also wurde der Einspruch von Herrn Nieß abgewiesen.

Wir wußten, wer da gequiekt hatte. Das war Moritz gewesen, der so genau die verschiedenen Quiektöne nachmachen konnte, daß jedes Schwein den Kopf hob und herbeilief, weil es glaubte, es sei ein Stallkollege.

«Da hat sich Klabautermann umgarnen lassen, ich sage ja immer, die Liebe ist eine Himmelsmacht», brüllte der Moderator ins Mikrophon. «Ich verspreche Ihnen, die Rennen in Egesdorf ersetzen jeden Fernsehnachmittag. Ein betrunkener Favorit und ein Schwein, das ins Netz der Liebe geht, das ist kein Trick, kein doppelter Boden, nicht von den Veranstaltern inszeniert, sondern so spielt das Leben, und wir dürfen uns jetzt auf den Endkampf zwischen Rudi und Klabautermann freuen. Alles ist wieder offen. Wir machen erstmal eine kleine Pause. Nach der Pause laufen dann die Schweine mit den besten Zwischenzeiten: Klabautermann, Rudi Rüssel, Susi Taifun und der Schweinemaserati.»

27. *Kapitel*

Und dann wurde über Lautsprecher der Endlauf
angesagt.

Wir weckten Rudi und gingen mit ihm zum nächsten Wasserhahn. Wir stellten ihn unter das kalte
Wasser und bürsteten ihn kräftig ab. Das mochte
Rudi natürlich nicht. Aber Mutter sagte, das sei gut
für die Durchblutung, dadurch würde er munter.
Wir führten ihn zu dem Feuerlöschteich und ließen
ihn einmal durch den Teich schwimmen. Erst
danach wurde er wieder richtig wach und tollte mit
Gullinborsti herum. Wir ließen ihn diesmal aber,
besonders wenn Herr Nieß in der Nähe war, nicht
mehr aus den Augen.

Als der Aufruf zum Start kam, brachte ich Rudi zur
Startbox. Dort trafen wir auf Herrn Nieß, der gerade
Klabautermann zum Start führte. Die beiden
Schweine sahen sich nur kurz und verächtlich an. Es
war ja das erste Mal, daß Rudi direkt gegen Klabau-
termann in einem Rennen laufen sollte.

«Na», sagte Herr Nieß, «jetzt wollen wir mal sehen,
was in eurer Schnapsdrossel steckt.»

Ich verstand nicht gleich, daß er mit der Schnapsdrossel Rudi gemeint hatte. Ich hätte sonst sagen
können: «Haben Sie schon so viel getrunken, daß Sie
ein Schwein für eine Drossel halten?» Aber wie
immer fallen einem die guten Antworten erst ein,
wenn es schon zu spät ist.

Kurz bevor das Startsignal kam, flüsterte ich Rudi
ins Ohr: «Mach ihn zur Schnecke. Los, aufs Tor!»

Während Herr Nieß in der Startbox mit einem wilden Geschrei begann, Klabautermann auf den Start vorzubereiten, war es bei uns unheimlich still, eine Stille, die sogar Herrn Nieß irritierte, denn als das Startzeichen kam, blickte er zu uns herüber und wurde durch seinen hinausstürzenden Eber umgerissen. Die vier Schweine hetzten los.

Klabautermann hatte den besten Start und rannte, wie nur ein wütender Eber rennen kann, die Lefzen hochgezogen, deutlich sah man seine weißen Hauer. Wahrscheinlich hatte er irgend jemand vor Augen, den er umrennen oder beißen wollte, vielleicht Herrn Nieß oder unseren Rudi, der neben ihm lief, und zwar recht entspannt. Vielleicht war Rudi noch immer etwas benebelt, vielleicht dachte er an Gullinborsti, vielleicht hatte er auch einfach keine Lust zu laufen, jedenfalls wurde der Vorsprung von Klabautermann immer größer.

Das Geschrei auf den Tribünen schwoll mächtig an, und da hörte ich Vater, Mutter, Betti und Zuppi rufen: «Rudi vor, noch ein Tor», und in diesen Ruf stimmten all die anderen Zuschauer ein, so daß Rudi ungefähr in der Mitte der Rennstrecke, nachdem er schon um eine ganze Schweinelänge abgeschlagen war, plötzlich nochmal zulegte, schneller und schneller wurde, rannte, mit fliegenden Schlappohren, als müsse er Zuppi, die da hinter dem Ziel stand und winkte, vor diesem keuchenden Klabautermann erreichen, um sie zu schützen.

So kämpfte er sich Zentimeter um Zentimeter an den Eber heran, kurz vor dem Ziel rannten sie in gleicher Rüsselhöhe, und es wäre wohl ein unentschiedenes Rennen geworden, hätte sich Rudi nicht noch mit ein, zwei gewaltigen Sätzen vor Klabautermann ins Ziel geworfen, ja, geworfen, denn hinter der Ziellinie überschlug er sich und wurde von dem nachfolgenden riesigen Eber gerammt, der ihm dann auch noch in rasender Wut seine Hauer in die Hinterbacke schlug.

Der arme Rudi. Wir hörten sein schmerzhaftes, schrilles Quieken. Klabautermann wurde von Rudi weggerissen, sonst hätte er sich womöglich noch in ihn verbissen.

Rudi lag da und keuchte erschöpft. Wir gaben ihm etwas Wasser zu trinken, und dann klebte ihm Moritz ein Pflaster auf die Wunde. Zuppi kaufte ihm einen Liebesapfel, den er auch sogleich andächtig fraß.

Danach mußte Rudi zur Siegesfeier auf das Podium steigen. Die Kapelle spielte einen Tusch, dann bekam Rudi das Blaue Band von Egesdorf um den Bauch gebunden. Er sah richtig feierlich aus, mit dieser blauen Schärpe um den Bauch, wie ein Präsident beim Staatsempfang.

Die Photographen kamen, und sogar das Fernsehen. Die Familie mußte sich zu einem Gruppenbild mit Schwein aufstellen. Vater versucht, sich hinter seiner Pfeife zu verstecken. Mutter grinst. Betti steht da

wie ein Mannequin. Zuppi hat Rudi die Hand auf
den Kopf gelegt, und ich habe die Finger zum V-
Zeichen erhoben, was ja Victory, also Sieg bedeutet.

28. Kapitel

Der Herbst kam. Es wurde kalt und diesig. Bei Nebel hörte man von der Elbe die Schiffe tuten. Wir hatten es in unserem Haus auf dem Sportplatz sehr gemütlich. Wir gingen in die Schule, machten unsere Schularbeiten, spielten Handball, malten und lasen. Mutter kam abgekämpft nach Hause, aber sie war wieder fröhlicher. Harald redete immer noch im Unterricht dazwischen, verteilte auch weiterhin seine Kopfnüsse, jetzt aber nicht mehr an die Schüler, die im Unterricht mitarbeiteten, sondern an jene, die gerade mal flüsterten. Er wollte Mutter helfen. Das war, wie Mutter sagte, natürlich keine Hilfe, denn sie mußte nun immer zwischen Harald und anderen Kindern Streitigkeiten schlichten, und der Unterricht wurde durch seine Beruhigungs-Kopfnüsse nicht ruhiger, sondern lauter. Einmal war er zu uns nach Hause gekommen. Mutter hatte ihn eingeladen. Er saß am Tisch, aß den Kuchen und sagte zu unserer Verwunderung kein Wort. Dafür stieß er dreimal seine Tasse mit Kakao um. Mutter sagte jedesmal, «das macht nichts, die Tischdecke war sowieso schon schmutzig.» Wäre uns das passiert, hätte sie geschimpft. Harald wollte gern das Schwein sehen. Wir haben ihn in den Abstellschuppen geführt. Er hockte sich zu Rudi, der in seinem Stroh lag, und streichelte ihm das Ohr. Harald sagte: «Zu Hause gibt es immer Fleisch und Wurst. Ich mag kein Schweinefleisch essen. Und ich mag auch nicht Schlachter werden. Aber mein Vater

will, daß ich später die Schlachterei übernehme.»
Wir hatten ihn nochmal eingeladen, aber er durfte
nicht kommen. Warum nicht, das konnte auch
Mutter nicht aus ihm herauskriegen.

So vergingen die Tage und Wochen. Vater grübelte
über seinen Hieroglyphen, und am Wochenende zog
er seine Kreidestriche auf das Fußballfeld, meist mit
vielen kleinen Ecken.
Manchmal, wenn er aus dem Regen hereinkam,
seinen Regenmantel aufhängte, sagte er: «Vielleicht
klappt es doch mal mit einem Forschungsauftrag in
Ägypten. Drei Jahre Palmen, Kamele, Wüste, die
Sonne, der Nil und die Sphinxe, stellt euch das vor.»
Vater hatte sich nämlich um eine Stellung bei der
Ausgrabung eines Pharaonengrabes beworben. Der
Pharao kam aus der 30. Dynastie, auf die sich Vater
spezialisiert hatte. Aber er hatte noch immer keine
Zusage bekommen, allerdings auch keine Absage.
«Und was machen wir dann mit Rudi?» fragte Betti,
«die Araber mögen doch keine Schweine.»
«Dann sagst du einfach, daß du ohne das Schwein
die Stelle nicht annimmst», sagte Zuppi.
Vater lachte: «Wenn das so einfach wäre. Ich wäre
schon froh, wenn ich die Stelle überhaupt bekäme.
Ich glaub nicht, daß Rudi die Hitze dort gefallen
würde. Wie geht's ihm denn?»
Rudi ging es nicht gut. Seit dem Rennen um das
Blaue Band von Egesdorf ließ er den Kopf hängen.

Kaum daß er mal rausging. Einmal, gleich nach dem Rennen, hatte er noch einen Schiedsrichter verfolgt, der ahnungslos zu uns in den Garten gekommen war, um Vater etwas zu fragen.

Der Schiedsrichter hatte sich vor Rudi gerade noch in die Mannschaftstoilette retten können, wo ihn Zuppi schließlich befreite, nachdem sie Rudi in den Schuppen eingesperrt hatte.

«Wie kann man nur mit so einem Ungeheuer zusammenleben», sagte der Mann, der sehr blaß aussah.

Wir konnten ihm nicht klarmachen, daß Rudi normalerweise das sanfteste Schwein der Welt war und daß er eben nur etwas gegen Männer in schwarzen Hemden und kurzen schwarzen Hosen hatte.

Aber schon nach einigen Wochen kümmerte sich Rudi nicht mal mehr um einen Linienrichter, der in den Schuppen gegangen war und ihn sogar streichelte.

Rudi lag einfach da, fraß nicht und schaute zum Fenster hinaus auf die Pappeln, deren Blätter abfielen.

Rudi fiel vom Fleisch, und so wie er einmal übermäßig dick gewesen war, war er jetzt übermäßig dünn. Deutlich konnte man seine Rippen sehen. Kein Zweifel, Rudi war krank. Und Vater, der immer gleich die schlimmsten Katastrophen befürchtete, sagte: «Vielleicht hat Rudi die Schweinepest. Das ist eine sehr gefährliche und äußerst ansteckende Krankheit.»

«Unsinn», sagte Mutter, «er ist nicht krank, und wenn, dann nur liebeskrank. Er vermißt Gullinborsti.»

Aber das wollte Zuppi nicht wahrhaben. Sie glaubte, daß es vielleicht am Essen läge, da er immer nur unsere Reste vorgesetzt bekäme.

Daraufhin kochte Vater freiwillig sein berühmtes Kartoffelmus, er opferte sogar ein Stück Butter, das er auf das Mus tat und sagte: «Was für ein Luxus. Das wird noch ein richtiges Luxusschwein.»

Dann stellte er den Napf Rudi hin. Der aber hob nur kurz den Kopf, stupste Vater mit dem Rüssel ans Bein, als wolle er sagen: «Nett von dir, aber ich mag nun mal nicht», dann legte er seinen Kopf wieder auf die gekreuzten Vorderpfoten und schaute hinaus in den Regen.

«Wir müssen einen Arzt holen», sagte Mutter, «er scheint wirklich krank zu sein.»

Am nächsten Tag kam der Tierarzt. Der sah Rudi und sagte: «Aha, das also ist der berühmte Renner Rudi Rüssel. Ich habe von dem Rennen in Egesdorf gelesen. So, dann wollen wir mal sehen, was unser Schnelläufer hat.»

Der Tierarzt begann damit, Rudi zu untersuchen. Er hörte Rudi ab, steckte ihm ein Thermometer in den Po, leuchtete mit einer kleinen Taschenlampe in die Ohren, in die Nasenlöcher, ins Maul. Rudi hielt still und ließ die ganze Untersuchung geduldig über sich ergehen.

«Der Rudi ist gesund», sagte der Tierarzt schließlich. «Aber er hat Kummer. Schweine sind sehr sensible Tiere. Und es sind sehr gesellige Tiere. Wenn ein Schwein, zumal ein so junges, keine anderen Schweine um sich hat, wird es melancholisch.»

Nachdem der Arzt gegangen war, fragte Zuppi: «Was ist das für eine Krankheit: Melanaloisch?»

«Melancholisch ist, wenn man zu nichts mehr richtig Lust hat, dasitzt und stundenlang aus dem Fenster guckt.»

Wir beriefen unseren Familienrat ein. Rudi brauchte Gesellschaft, das war klar. Was sollten wir tun?

«Wir könnten noch ein Schwein anschaffen. Wir könnten Gullinborsti holen. Es ist im Schuppen doch reichlich Platz für zwei Schweine», sagte Zuppi.

Vater fuhr aus dem Sessel. «Unmöglich», rief er, «dann haben wir hier plötzlich eine Schweinezucht. Außerdem, wenn wir mit noch einem Schwein ankommen, schmeißt uns der Vereinsvorstand raus.»

«Es ist für Rudi das beste, wenn wir ihn zu einem Bauern bringen, der Schweine auf seinem Hof hat», schlug Mutter vor.

«Wir könnten ihn doch zu Moritz und Malte bringen», sagte Betti.

«Genau», sagte Vater und klopfte begeistert seine

Pfeife aus, «genau, da hat Rudi viele nette Schweine, alle sind vergnügt und können rumlaufen und um die Wette grunzen.»

Zuppi schwieg. Dann sagte sie: «Ich weiß genau, was ihr wollt, ihr wollt ihn nur loswerden.»

«Nein», sagte Vater, «du hast gehört, was der Tierarzt gesagt hat.»

Und Mutter sagte: «Wir können ihn ja am Wochenende besuchen, wie wir ihn damals auch beim alten Voß besucht haben. Und du kannst dann auch mit Moritz spielen.»

Da sagte Zuppi etwas langzähnig: «Also gut.»

29. Kapitel

Am folgenden Samstag fuhren wir nach Neugalmsbüll, einem Dorf, das an der Nordsee liegt. Es war der erste Tag im Winter, an dem es schneite.

Als wir auf den Hof von Bauer Hinrichsen fuhren, kam uns Malte auf dem Traktor entgegen. Malte ist vierzehn Jahre, so alt wie ich, kann aber schon den Traktor fahren.

Moritz und Bauer Hinrichsen und seine Frau kamen aus dem Stall. Die hatten dort gerade die Melkmaschine repariert. Sie sahen sich Rudi an, der hinten im Wagen lag.

«Was hat er denn?» fragte Bauer Hinrichsen. «Komisch, Gullinborsti geht es auch nicht gut.»

Wir fragten Bauer Hinrichsen, ob wir Rudi auf dem Hof unterstellen könnten, natürlich gegen Bezahlung.

«Klar.» Aber Geld wollte Bauer Hinrichsen nicht dafür nehmen. Es sei eine Ehre, wenn Rudi, der Träger des Blauen Bandes, in seinem Schweinestall stehe.

Wir ließen Rudi aus dem Wagen steigen. Ein wenig steif stand er da, im Schneegestöber, und man sah, er fror. Er hatte ja auch keinen wärmenden Speck mehr auf den Rippen.

Moritz hatte Gullinborsti geholt. Da, als Rudi und Gullinborsti einander sahen, galoppierten sie aufeinander zu und rieben ihre Rüssel aneinander. Dann rannten sie über den Hof, schlugen Haken, standen still, beschnüffelten einander, grunzten leise, rannten wieder hintereinander her, quiekten hell. So tobten sie eine ganze Zeit im Schnee herum. Dann gingen sie dicht nebeneinander in den Stall. Wenn man sie so von hinten sah, konnte man deutlich erkennen, wie dünn die beiden geworden waren.

Wir haben in der guten Stube der Hinrichsens Streuselkuchen mit Schlagsahne gegessen und Tee getrunken, mit Sahne und Kandis, so trinkt man den Tee in Nordfriesland.

Zuppi und Moritz sind ins Kinderzimmer gegangen und haben dort mit Playmobilfiguren Bauernhof gespielt. Ich durfte mit Malte auf dem Traktor fahren, und Betti ging mit Friederike, der älteren Schwester von Malte und Moritz, die sich überhaupt nicht für Schweine, sondern nur für Pop interessiert, auf deren Zimmer. Dort hörten die beiden Kassetten. Sie hatten die Vorhänge zugezogen, zwei Kerzen angezündet und wollten auf keinen Fall gestört werden. Später kamen sie raus und hatten sich geschminkt wie Madonna.

Wir fahren, wann immer wir können, an den Wochenenden nach Neugalmsbüll. Rudi hat schnell wieder zugenommen und sein Renngewicht erreicht, und auch Gullinborsti geht es gut.

Zuppi will Bäuerin werden oder Tierärztin, genau weiß sie das noch nicht. Auf jeden Fall will sie zusammen mit Moritz eine Rennschweinezucht aufbauen.

154

Ein Anfang ist übrigens schon gemacht, denn Gullinborsti hat im Frühjahr acht Ferkel bekommen. Alle acht sind springlebendige kleine Tiere. Und Bauer Hinrichsen sagte: «Man merkt sofort, daß Rudi der Vater ist, alle acht werden mal richtige Läufer.»

Als Vater die acht Ferkel sah, sagte er: «Meine Güte, da haben wir ja Glück gehabt. Wenn wir die Ferkel nun zu Hause bekommen hätten. Nicht auszudenken.»

Von Uwe Timm ist außerdem bei dtv junior lieferbar:
Die Piratenamsel, Band 70347

Ungekürzte Ausgabe
Juni 1993
8. Auflage Mai 1996
Deutscher Taschenbuch Verlag GmbH & Co. KG, München
© 1989 Verlag Nagel & Kimche AG, Zürich/Frauenfeld
ISBN 3-312-00726-7
Umschlaggestaltung: Klaus Meyer, Simone Fischer
Umschlagbild: Gunnar Matysiak
Gesamtherstellung: Kösel, Kempten
Printed in Germany · ISBN 3-423-70285-0

Walter Wippersberg
Der Kater Konstantin
Bilder von Helga Demmer
Ab 8 Jahren, 192 Seiten
ISBN 3-312-00770-4

Den sprechenden Kater hat ein
Schriftsteller in Geldnöten er-
funden. Doch das, was der dem
Kater andichten will, wird Konstantin bald zuviel. An einem
heißen Sommertag reißt er aus
und macht sich auf den Weg in
die Stadt. Natürlich geht das
nicht ohne turbulente
Zwischenfälle ab…

Nagel & Kimche

Für Mädchen und Jungen ab 10 Jahren

Ein Vogel, der brüllt wie ein Tiger und flucht wie ein waschechter Matrose? Das kann nur der Beo Padde sein, den es von Indien nach Hamburg verschlagen hat. Wenn Padde loslegt, ist im Zoogeschäft von Herrn Schulte, im Tierpark Hagenbeck oder beim Tierstimmenimitator Kluge die Hölle los. Aber so lustig das Verwirrspiel auch ist, Padde braucht ein Zuhause! Da trifft er auf ein kleines Mädchen...
Eine weitere turbulente Tiergeschichte vom Erfinder des ›Rennschwein Rudi Rüssel‹.

Die Piratenamsel
von Uwe Timm

dtv junior

dtv junior 70347

Piratenkid
Redlegs unerhörte Abenteuer
von Hans Baumann

dtv junior

dtv junior 70349

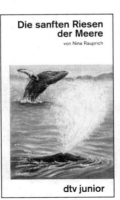

Die sanften Riesen der Meere
von Nina Rauprich

dtv junior

dtv junior 70217

Tam mein Silberhengst
von Mary Patchett

dtv junior

dtv junior 70309

Spannendes für Leser ab 10 Jahre bei dtv junior

Warum soll Rosie dem alten Mann nicht den Gefallen tun und ein Päckchen für ihn einwerfen? Aber irgendwie ist ihr die Begegnung mit ihm zutiefst unheimlich. Und dann überschlagen sich auch schon die Ereignisse: Rosie wird von zwei unsichtbaren Geistern gefangengenommen! Sie wollen ihr weismachen, daß sie sich in einen bösen Dschinn verwandelt, wenn sie das Päckchen nicht innerhalb von 24 Stunden an seinen Besitzer zurückgibt.
Ein dramatischer Wettlauf mit der Zeit beginnt...

dtv junior 70344

dtv junior 70057

dtv junior 70164

dtv junior 70355